Esta es tu vida

Esta es tu vida

José Sanclemente

rocabolsillo

© 2014, José Sanclemente

Primera edición en este formato: octubre de 2015

© de esta edición: Roca Editorial de Libros, S. L.
Av. Marquès de l'Argentera, 17, pral.
08003 Barcelona
info@rocabolsillo.com
www.rocabolsillo.com

© del diseño de portada: Mario Arturo
© de la ilustración de cubierta: Shutterstock

Impreso por NOVOPRINT
Sant Andreu de la Barca (Barcelona)

ISBN: 978-84-16240-21-0
Depósito legal: B-18.189-2015
Código IBIC: FF; FH

RB40210

A mi padre

«Una de las pocas cosas buenas del mundo moderno:
si mueres en televisión no morirás en vano.
Habrás entretenido a mucha gente.»

* * *

«Ahora se suele criticar a la televisión por transmitir
tanta violencia, cuando más cruel ha sido la Biblia:
en sus páginas se come a niños, se llama a matar
a los enemigos, se queman casas, se sacan los ojos
a los hombres. Los dueños de la televisión moderna
no han inventado nada nuevo.»

* * *

«Me siento interpelado a hacerme cargo de todo
el mal que algunos sacerdotes han hecho, bastantes,
bastantes en número, no en comparación
con la totalidad… hacerme cargo de pedir perdón
del daño que han hecho por los abusos sexuales
de los niños.»

* * *

Capítulo uno

$\mathcal{N}$o había un alma en las calles de Alella. El silencio solo se veía interrumpido por los silbidos de las ráfagas de viento al colarse entre las troneras y por algún que otro golpe seco de los postigos mal cerrados. En la oscuridad de la noche, las farolas aportaban una engañosa calidez al frío que lo paralizaba todo y proyectaban contra los muros de la iglesia las sombras de unos árboles que, empujados sin piedad por el intensísimo viento del este, parecían ensayar una fantasmagórica danza.

En la casa rectoral, Dimas Pascual no conseguía conciliar el sueño. El nerviosismo por el acontecimiento que tendría lugar en pocas horas lo mantenía desvelado; recostado sobre la almohada y con la luz de la mesita de noche iluminando con tibieza una habitación espartana, el septuagenario párroco sujetaba entre sus manos el programa de bendición y repique de las nuevas campanas de Sant Feliu, mientras anhelaba con ansiedad que llegara el alba. Llevaba cuarenta años en la diócesis y nunca había tenido la oportunidad de reunir a las principales autoridades civiles y eclesiásticas en su iglesia.

Dimas Pascual había conseguido hacía tres años que se descolgaran las campanas de la parroquia para fundir de nuevo el bronce limeño con el que se habían fabricado hacía cinco siglos. Ajadas y maltratadas por el paso del tiempo y el incendio provocado por un rayo que cayó en la espadaña, quería resucitarlas suplementándolas con una aleación de cobre y estaño que debería hacerlas tañer con un sonido grave que llegara hasta los confines del pueblo.

Los vecinos de Alella y el arzobispado de Barcelona —este a regañadientes, pues era difícilmente justificable un gasto tan importante en momentos de crisis— habían costeado a partes iguales las obras de albañilería necesarias para apuntalar los arcos del campanario, la cabria para apear las diez toneladas de metal y el transporte en la caja de carga de un camión articulado, un vehículo que ocupó buena parte de la plaza donde se alza la iglesia. Una cincuentena de habitantes de Alella se desplazaron en autobús hasta la empresa de fundición cerca de Düsseldorf, en Alemania, donde se celebró la ceremonia de entrega de las campanas, que fueron bendecidas por Dimas Pascual. Como si de una incineración humana se tratara, las campanas entraron en el horno, a través de un portón, para iniciar el proceso de fusión y permitir que el colado del vetusto bronce pudiera mezclarse con la nueva savia metálica que las devolvería a la vida con una inédita musicalidad. En tres o cuatro meses las piezas, ya remozadas, volverían a colgar del campanario románico.

Pero al poco tiempo el párroco se encontró con problemas económicos: muchas de las aportaciones prometidas por sus feligreses para llevar a cabo la reparación no se llegaron a realizar. Muchos alellenses estaban también afectados por la crisis y a duras penas podían atender con solvencia sus comercios y mantener sus puestos de trabajo. Además, el obispo no estaba dispuesto a asumir de su presupuesto los trescientos mil euros que reclamaba la fundición alemana como condición necesaria para entregar las campanas, que ya estaban restauradas, y tampoco había dinero para pagar la motorización de estas, ni siquiera el ordenador al que se conectarían, y que se encargaría de hacerlas sonar con treinta melodías variadas.

Durante dos largos años, el campanario de Alella estuvo huérfano de campanas y el párroco se consumía en la desesperación cada vez que alzaba la vista y contemplaba la luz de los dos arcos románicos obstruida por los hierbajos que habían crecido en las fisuras de sus dovelas y que se cimbreaban cuando el viento los agitaba en las alturas.

Sin embargo, y de un modo diríase que milagroso, hacía escasamente dos meses, Dimas Pascual había conseguido los recursos para asumir las facturas e instalar las campanas que en pocas horas se iban a bendecir, en el que debía ser el día más importante de su vida y una gloriosa fiesta para todos los alellenses.

—¡*Jehová Jireh*! —le había dicho por teléfono emocionado al secretario del arzobispo de Barcelona, utilizando la expresión hebrea del Génesis «¡Dios proveerá!»—. Demos gracias al Señor… La buena de la señora Francisca, que ha fallecido reconfortada por el Santísimo Sacramento, ha testado a favor de la diócesis y nos deja más de doscientos mil euros. Solo serán necesarios cien mil euros más del presupuesto de Su Eminencia para completar el gasto comprometido.

El arzobispado no tuvo más remedio que soltar el resto del dinero y así el párroco Dimas pudo levantar el embargo alemán de las campanas y asumir su transporte e instalación, programa musical y ordenador incluidos.

El cura miró de nuevo el despertador: faltaban diez minutos para las cinco de la madrugada. El viento no daba tregua. El apocado y lastimero sonido de las campanas le hizo pensar que alguna ráfaga más fuerte de lo común las hacía gemir así, pero al momento pensó que era imposible que siquiera el aire pudiera mover semejante peso ni un milímetro. Cada una de ellas pesaba algo más de cuatro toneladas y estaban bien sujetas al yugo y a las asas recién renovadas. Él mismo había visto como los operarios, con ayuda de una grúa gigantesca, habían reforzado la espadaña del campanario con viguetas de hierro y las campanas habían quedado afianzadas de tal manera que solo pudieran moverse con el automatismo mecánico conectado al ordenador.

Aguzó el oído. La disposición de la casa rectoral, en una sola planta y comunicada por una puerta de aglomerado con la capilla del Santísimo, donde oficiaba la misa de diario y donde se encontraba la entrada a la torre del campanario, le permitía advertir cualquier ruido en el interior de la iglesia. Oyó el crujir de lo que intuyó podría ser un peldaño de la escalera que ascendía hasta el campanario. Luego nada. Silencio.

Pero al cabo de unos instantes le sobresaltó otro crujido de la madera sobre el rastrel de pino de la escalinata… Y otro más. Le parecieron pasos que descendían de lo alto de la torre con lentitud. El párroco se incorporó de la cama, se calzó unas desgastadas zapatillas de piel de cordero y se ajustó el cinturón del batín de franela. La casa estaba bien caldeada por varios radiadores de agua caliente, pero en la iglesia estaban desconectadas las estufas de infrarrojos y debía de haber una diferencia de temperatura considerable. Al acercarse a la puerta, que conducía desde el salón de la casa al altar auxiliar, sintió en sus pies un aire helado que se colaba por el hueco inferior de la misma. Empujó la puerta hacia el interior de la iglesia y notó una inexplicable resistencia. Con la mano en el picaporte y cargando con el hombro su peso contra el panel de contrachapado de madera —el párroco no era muy corpulento, pero sí conservaba una fuerte complexión ósea— consiguió abrirla.

Una corriente de aire fresco le sacudió en la cara como una bofetada. Estaba desconcertado, recordaba perfectamente que había cerrado con llave el portón principal de la iglesia, aunque era posible que el fuerte viento le hubiera dado tal sacudida que hubiese desencajado el pasador inferior y este quedara entreabierto. Palpó a tientas en la pared de piedra de la capilla a la altura del interruptor de la luz y lo apretó varias veces. Nada, no parecía haber electricidad. Para llegar hasta el cuadro eléctrico y rearmar los diferenciales, por si estos hubieran saltado, debía sortear los bancos de la capilla, cruzar hasta la nave principal y dirigirse hasta un lateral del altar mayor. Sin luz, solo con la memoria de las incontables veces que había cubierto ese trayecto, le iba a resultar difícil. Pensó en volver sobre sus pasos hasta la rectoría en busca de una linterna que guardaba en el cajón de la mesita de noche. Fue cuando de nuevo oyó el crepitar de la madera a escasos diez metros de donde se hallaba, y al momento también percibió el débil tañido de una de las campanas. Sus manos, ahora temblorosas, tentaban a oscuras en los respaldos de los bancos de los feligreses, que rodeó golpeándose los tobillos repetidas veces con las patas de madera. Tras uno de los confesionarios distinguió el débil chispear de una vela. Se dirigió hasta el punto de luz. Era una imitación de un cirio pascual que funcionaba con una batería; el artilugio a pilas apenas iluminaba a un metro de los pies del párroco, pero le ofreció seguridad para caminar hasta el pórtico por el que se llegaba hasta el campanario.

De pronto tomó conciencia de que no estaba solo: había alguien muy cerca de él, en la capilla. Aguzó la vista pero no vio a nadie, y sin embargo sintió un intenso olor a azufre, o quizás fuera algún perfume floral amargo y húmedo, que le recordaba al de los crisantemos que contenían algunas de las coronas de flores que cubrían los féretros de los muertos y que pedía a los familiares que dejaran fuera de la iglesia para evitar los efluvios mareantes durante las ceremonias de los sepelios que celebraba. Sufrió un ligero vahído y dirigió titubeante la vela en dirección al lugar de donde provenía la fuerte fragancia.

Fue entonces cuando se topó con un ser que no le pareció humano. Lo tenía a pocos centímetros de su cara y solo pudo distinguir, en los escasos segundos que duró la aparición, un rostro enorme, amorfo y desfigurado. Soltó un grito ahogado y la vela rodó por el suelo, pero antes acertó a ver cómo el extraño desaparecía a gran velocidad por el portón principal de la iglesia que, como sospechaba, estaba abierto. El párroco, sin apenas respiración por el pánico que le sobrevino a continuación, vio a contraluz de la farola que alumbraba la calle que aquel hombre era desproporcionadamente corpulento y que asía en su mano una enorme horca de tres puntas. Le pareció la viva imagen del demonio.

Se santiguó mientras corría a cerrar la puerta de la iglesia, luego se dirigió hasta el cuadro eléctrico de la sacristía y armó los diferenciales, que inexplicablemente estaban bajados. La iluminación de la nave le tranquilizó. La aparición de los vitrales con la imagen del encarcelamiento y el martirio de Sant Feliu, torturado y arrastrado por los caballos, le sosegó. Encendió las luces. Todo parecía estar en su sitio… Todo menos esa melodía que provenía de lo más alto del campanario, como si algo rozara de forma intermitente una de las campanas.

Subió por la escalera que serpenteaba por el angosto torreón hasta lo alto del campanario. Iba sujetándose con la mano a la barandilla de hierro forjado y, aunque ascendía con prudencia y de vez en cuando miraba hacia los peldaños, no pudo evitar que sus zapatillas resbalaran en uno de ellos: había pisado un líquido viscoso que teñía de marrón oscuro los escalones de madera de iroko.

Llegó hasta arriba y levantó la trampilla para acceder a las campanas. De nuevo sintió en su tez la ráfaga gélida del viento y tras ella el reiterado lamento musical. Encendió los focos del campanario, coronado por arcos románicos bajo los que colgaban las campanas, y contempló la escena más espantosa que habría de ver en toda su vida.

El cuerpo desnudo y sin vida de una joven colgaba atado por su muñeca al badajo de una de las campanas y oscilaba como un títere por efecto del viento, chocando ora su torso ora su espalda contra los bordes interiores del bronce recién aleado. Ahí estaba el origen de aquella sórdida musicalidad que había inquietado al cura.

Le sobrevino una arcada y a punto estuvo de caer de bruces desde la trampilla escaleras abajo. Y sin embargo, no podía dejar de mirarla. Se percató de que en su costado derecho tenía tres orificios profundos por los que le brotaba la sangre, tres heridas que bien podrían haberse provocado con una horca de tres puntas como la que había visto en manos de aquel ser endemoniado que había huido. El viento encaró la mirada del cadáver con la suya. Era una mirada oscura y vacía. Dimas Pascual se dio cuenta entonces de que no tenía ojos. Pero la reconoció al instante.

La sangre se le quedó tan helada como el viento que golpeaba inclemente.

Nada podía hacer ya por aquella mujer. Miró hacia el horizonte y contempló desde la altura, entre las sombras, el enjambre de tejados de las casas de Alella y al fondo el débil brillo del mar bajo un hilo de luna. Descendió cabizbajo hasta el altar mayor y se arrodilló ante el Jesús crucificado que pendía del techo sujeto por varias sirgas de acero tensadas y ancladas en las paredes.

—No esperaba que me castigaras a estas alturas de mi vida, Señor —dijo con voz alta y compungida—. Sabes lo que he luchado para que este día fuera de gloria para ti. Pensaba que con mi sacrificio darías por expiados mis pecados. Oré para no caer en la tentación… El espíritu está dispuesto… pero la carne, la carne, Señor… —citó a san Mateo y de repente un sollozo irrefrenable se apoderó de él; de la posición de genuflexión pasó a tenderse en el suelo musitando en latín «caro autem infirma». La carne es débil.

Estuvo tendido en el suelo un buen rato, quizá cerca de una hora en la que creyó haber perdido el conocimiento; luego se levantó, entró en la casa rectoral, se dirigió al recibidor y descolgó el teléfono para llamar a la policía. El sol aún no había salido y el viento parecía remitir. Ya no se oía el lamento de la campana.

Capítulo dos

Diez días antes

*P*edro Cabañas llegó a la estación de Francia a las ocho. El viaje en tren desde Almería le había requerido un transbordo en Linares-Baeza para enlazar con el Talgo que le llevaría hasta Barcelona. Más de treinta paradas en el trayecto y trece horas en el vagón de turista le dieron tiempo suficiente para reflexionar sobre cómo debía afrontar la situación.

Había aterrizado en Madrid hacía tres días procedente de Ciudad de México y las reuniones que había mantenido con los grupos ecologistas en la capital de España habían resultado algo decepcionantes. Le dijeron que las causas por las que debían luchar priorizaban otros temas medioambientales, como la preservación de los acuíferos del Delta del Ebro, en peligro por el proyecto Castor para embolsar gas natural, o las prospecciones petrolíferas en las Baleares en las que se había empeñado el gobierno. Greenpeace, además, tenía datos de que los cultivos transgénicos, por los que Cabañas estaba interesado, eran poco importantes, a pesar de que en España gozaban de mayor extensión, en su conjunto, que en toda la comunidad europea.

Los datos que Pedro Cabañas había recabado sobre las empresas fabricantes de herbicidas y semillas tratadas con biotecnología no parecieron resultarles tan graves a los ecologistas como se le antojaban a él. La inminente fusión de la hispano mexicana Simentia con la multinacional americana Agra iba a multiplicar, según Cabañas, el riesgo de contaminación de los sembrados, con consecuencias dramáticas para la salud de la población. Al parecer, Agra había utilizado un herbicida para arrasar las cosechas de los campesinos en muchos países y luego venderles unas semillas resistentes a esos mismos productos químicos, en una práctica monopolística ética y legalmente discutible. Pero el asunto no quedaba ahí: el pesticida había provocado la contaminación de alimentos y miles de personas habían muerto, además de los centenares de niños que nacieron con malformaciones por culpa de semejante desatino.

—Hay miles de pleitos en todo el mundo contra Agra por el *efecto naranja* de su herbicida, es cierto. Hay que dejar que se sustancien y que se les condene por ello; esa es una causa ganada sobre la que no merece la pena acometer actuaciones llamativas —le dijeron los responsables de agricultura industrial de Greenpeace.

—Sí, ya sé que el pasado importa poco: niños que nacieron con deformaciones, personas con cáncer y agricultores arruinados por la devastación del herbicida de Agra lo fueron en el contexto de la guerra de Vietnam, y eso queda lejos, pero les aseguro que siguen con sus prácticas. Sus productos químicos permanecen en la tierra durante años, no son biodegradables, y las semillas resistentes a esos campos infectados están adulteradas y representan un problema para la salud. Hay que actuar y denunciar sus prácticas —insistía con vehemencia Cabañas exhibiendo un buen fajo de documentos como prueba.

—Estamos dispuestos a colgar sus estudios en nuestra página web, pero no nos pida una acción de concienciación porque apenas tendría repercusión en la gente. Nuestras presiones en Bruselas han dado sus frutos y en este momento apenas el uno por ciento de los cultivos son transgénicos; y en cuanto a los herbicidas de Agra, que acaban con todas las plagas, están siendo retirados de toda Europa —le dijo el director para Europa de Voz Natura.

—Pero en España siguen creciendo, y con esta fusión se va a incrementar su influencia —insistió Cabañas.

—Es cuestión de tiempo. La Unión Europea dictará una normativa que acabará acatando España —le replicaron.

No pudo hacer nada. Ni siquiera consiguió que apoyaran su súplica ante el Tribunal de Defensa de la Competencia para que paralizara la fusión entre las empresas. La consideraban una causa perdida.

Pedro Cabañas viajó desde Madrid hasta El Ejido, en Almería. Allí tenía Simentia la mayoría de cultivos de semillas transgénicas estériles. Lo hizo con la convicción de quien tiene toda la razón para luchar en solitario contra lo inexpugnable.

En primera instancia no le quisieron recibir, y cuando pudo despistar a los guardias de seguridad se encaramó a lo alto del tejado de las oficinas de la empresa y colgó una pancarta gigante frente al despacho del director general en la que se leía: «Simentia y Agra: Las semillas asesinas».

Los guardias intentaron reducirle y bajarlo de la cubierta con tan mala fortuna que durante el forcejeo resbaló y cayó rodando varios metros por la techumbre hasta un patio interior. Afortunadamente solo se lesionó el tobillo, y se lo vendaron en la misma enfermería de la empresa. Dolorido y cojeando lo condujeron ante el director.

—Te conocemos de sobra, Cabañas. Sabemos quién te financia y a qué intereses respondes, y te aconsejo que dejes de incordiar con tus patrañas. Eres un iluminado a los ojos de todos, incluso a los de los que son de tu misma cuerda. Nada de lo que escribes en tus blogs contra nosotros nos impresiona ni va a paralizar nuestra estrategia. Estás ofuscado y vas contra el futuro en tu absurda cruzada —le dijo el directivo.

Conocían a Pedro Cabañas porque había trabajado en la planta de Simentia en México como responsable de desarrollo de nuevos híbridos de hortalizas de gran rendimiento para el área de Centroamérica, uno de los proyectos estrella de la compañía. Fue despedido por resultar sospechoso de filtrar a la prensa información confidencial sobre los procesos de fabricación. Había descubierto que los insectos se habían vuelto inmunes a las toxinas que contenía el maíz transgénico y que, sin embargo, en los humanos podían ser altamente lesivas. Las plagas que se querían haber evitado con las alteraciones biológicas de las semillas se volvían a combatir con herbicidas contaminantes. La política de hermetismo ante los medios de comunicación de la empresa de semillas frente a las constantes denuncias de Cabañas era la mejor arma para impedir que sus argumentos calaran en la población. También pudo comprobar que la mayoría de medios no querían entrar en una guerra con un gigante que tenía raíces bien asentadas en el gobierno mexicano y que había comprado a buena parte de los periodistas especializados en temas medioambientales.

Su cruzada en solitario le había llevado a la ruina. Los últimos pesos que le quedaban los había cambiado por euros en el aeropuerto de Barajas, a su llegada a Madrid, y debía emplearlos con mesura para sufragar la estancia en la capital catalana.

Cabañas veía el viaje a Barcelona como su última oportunidad. En el trayecto en tren se quedó ensimismado contemplando la campiña sembrada de olivares que desfilaban velozmente cuando se asomaban al vagón, enhiestos y con los troncos retorcidos. Le vino a la memoria el poema de Machado que su madre solía recitarle de niño, y sin embargo no consiguió recordarlo completo: «Viejos olivos sedientos bajo el claro sol del día… Olivares centelleados en las tardes cenicientas, bajo los cielos preñados de tormentas…».

Su pasado se le antojaba como el de los viejos olivares que se encaramaban sobre lomas infinitas bajo un cielo raso que de tan azulado, casi añil, se parecía al color del mar de la Bahía de Santa Cruz en Huatulco, donde pasó los veranos con sus padres hasta que murieron en un accidente de aviación. Había saltos en el tiempo que hacía muy poco había sido capaz de alinear, como los olivos sobre los cerros.

En el recuerdo más lejano, con tan solo cinco o seis años, se veía abrazado a una niña que, llorosa, le pedía que no se separara de ella. Y de pronto se veía en una nueva casa, silenciosa, sin la algarabía de los patios con niños, que, bajo un sol de justicia, peleaban por un espacio de agua en la alberca.

Se veía junto a unos padres que llegaron tardíos y que, aunque humildes, le dejaron a su muerte suficientes recursos como para realizar estudios de física y química en la universidad privada del Norte, en Ciudad de México. Y al acabar la licenciatura el propio rector le facilitó su primer sueldo en Simentia, donde fue escalando cargos con rapidez.

Demasiadas facilidades en su vida de estudiante y demasiadas recompensas en la multinacional de las semillas, que hasta hace poco no supo descifrar. La mano que había mecido su pasado era, sin duda, la misma contra la que él se había rebelado: los propietarios de aquella universidad y los de la empresa eran los mismos. Quienes le dieron los estudios, el trabajo y hasta unos padres tenían un motivo para hacerlo. Un solo motivo, del que Pedro Cabañas no había tenido conocimiento hasta hacía bien poco.

Si viajaba hasta Barcelona sabía que no era solo para impedir con su activismo las malas prácticas de sus valedores, sino para hurgar en lo más recóndito e íntimo de su vida. Reencontrarse con su pasado, por doloroso que fuera, era la única forma de liberarse de la angustia que le había producido conocer sus orígenes.

Salió de la estación de Francia sin destino preconcebido. Caminó cojeando sin rumbo hasta el parque de la Ciutadella. Las horas sentado en el vagón del tren le habían aliviado el dolor del pie, que ahora despertaba entumecido e hinchado.

Hacía frío y el parque estaba poco iluminado, y al poco volvió renqueante sobre sus pasos. Se apercibió de que le seguía un pequeño terrier que seguramente había perdido a su amo, pues llevaba un collar que no tenía identificación alguna. Quizá lo habían abandonado, pensó. No se lo podía quitar de encima y se le colaba entre las perneras del pantalón, haciéndolo trastabillar en su ya de por sí dificultoso caminar.

Sacó de su bolsa un mendrugo que le había sobrado de la comida y el perro se lo zampó de un bocado. A pocos metros vio el rótulo iluminado de un hostal. Se dirigió hacia él. El perro le siguió hasta la recepción.

—No admitimos mascotas —le dijo la joven recepcionista nada más verle entrar.

Pedro Cabañas contempló al pequeño terrier, que se había sentado a sus pies y le miraba meneando la cola.

—Pagaré una semana por adelantado —replicó sin saber bien por qué. No le sobraba el dinero precisamente.

La recepcionista consultó por teléfono al jefe.

—Está bien, pero tiene que ser en efectivo —comentó al colgar.

Sacó del bolsillo cinco billetes de cincuenta euros y los dejó sobre el mostrador de la recepción.

—Ponga la habitación a nombre de Simentia. —Sacó una antigua tarjeta de la empresa que aún conservaba tras su despido.

La recepcionista se encogió de hombros y le dio la llave de la habitación 102.

—¿Podría darme el teléfono del arzobispado de Barcelona? —preguntó Cabañas.

—En el primer piso hay un listín telefónico. Búsquelo en él —contestó secamente la encargada.

Subió hasta la primera planta con el perrito pegado a sus pies y tras consultar el listín telefónico llamó al arzobispado de la ciudad y preguntó por monseñor Ibáñez.

Capítulo tres

$\mathcal{L}$os primeros en llegar a la iglesia fueron una pareja de agentes de la Policía Local de Alella. Lo hicieron en menos de diez minutos; estaban retirando un dispositivo de control de alcoholemia establecido a cien metros de una discoteca, a la salida del pueblo, que se había saldado con tres vehículos inmovilizados en la cuneta y media docena de multas a jóvenes, sobre todo por consumo de drogas.

Los policías sabían que las sanciones de tráfico eran una mera excusa para realizar aquella vigilancia: el verdadero motivo por el que habían estado soportando estoicamente el frío durante toda la noche —ellos y dos patrullas más— era el de disuadir a los posibles grupos de manifestantes que pudieran reventar el acto de las campanas en el que iban a estar presentes las principales autoridades y todos los medios de comunicación.

Recibieron el aviso por radio desde la emisora central de la Policía Local y la agente que estaba de guardia les habló excitada y nerviosa.

—Se trata de un homicidio: una mujer. La ha encontrado el cura colgada en el campanario de la iglesia con heridas incisas en el cuerpo. Ha llamado muy nervioso. Decía algo sobre las campanas…, algo sobre que han ensuciado las campanas… —dijo la voz femenina desde la emisora.

—Bien, entendido, vamos hacia allí, pero creo que deberíamos llamar a… —La agente no dejó acabar la frase al cabo.

—¿A la policía? ¿A emergencias médicas? Sí, ya lo he hecho, y ambos van de camino. También he avisado al jefe. Irá allí en un santiamén, o sea que daos prisa. Los de homicidios quieren que ayudéis a acordonar la zona y que no toquéis nada… Ya sabéis, que nadie entre a husmear por ahí —concluyó la agente.

Los agentes de la Local sabían bien cuáles eran sus cometidos ante una escena de crimen en la que se iban a presentar ipso facto los forenses de la Científica y los inspectores de la Brigada de Investigación Criminal. Además, en este caso coincidía que el comisario Rojas, el jefe de la División, era vecino de Alella, pues vivía desde hacía poco más de un año en una urbanización a las afueras del pueblo, en un adosado desde el que se divisaban al frente la línea azul del mar y al suroeste el perfil silueteado de los edificios de Barcelona. Rojas había cumplido así su sueño de retirarse, junto a su mujer, a un lugar más apacible que la ciudad cuando le faltaban menos de dos años para jubilarse.

Alella era un pueblo tranquilo, situado a pocos kilómetros de Barcelona, que contaba con varias urbanizaciones en su periferia. Los asuntos de seguridad no habían preocupado hasta la fecha a los vecinos, la localidad disponía de una dotación suficiente de agentes con dos coches de patrulla bastante nuevos. Solo el auge que estaba adquiriendo la zona del puerto deportivo, situado en El Masnou, a tres kilómetros del centro, con la proliferación de restaurantes, bares de copas y una discoteca, ocasionaba algunos alborotos sin importancia durante el fin de semana, que se atajaban sin problemas por parte de la Policía Local y, de vez en cuando, con algún control de estupefacientes por parte de la Policía Nacional.

Pero un crimen como aquel al que se iba a enfrentar el comisario no se recordaba en toda la comarca.

A Rojas le llamó el subinspector Barreta desde la comisaría de Les Corts, en Barcelona. Barreta supuso que su superior querría estar informado de un homicidio ocurrido en su propio pueblo. Le dijo que iban de camino varios efectivos que se desplazaban desde la comisaría de Premià de Mar hasta Alella, que eran los más cercanos al lugar y los que estaban más preparados para estas actuaciones. Casi al mismo tiempo que Barreta le resumía lo poco que sabía del suceso, sonaba el timbre de la casa. Era Planas, el jefe de la Policía Local.

—Voy a la iglesia, ¿le llevo? —le dijo cuando Rojas le abrió en pijama, aún con el teléfono móvil en la mano, y Planas dio por supuesto que ya estaba al corriente del suceso.

—Sí, deme dos minutos. ¿Qué coño ha pasado?

—No tengo ni idea. Mis agentes han acordonado la iglesia. Han subido al campanario y dicen que hay una mujer colgando de una de las campanas, las que se tenían que inaugurar hoy. Todo esto es una mierda… ¡Póngase algo de abrigo encima del pijama que hace un frío de la hostia! Precisamente hoy, tenía que pasar hoy, que vienen todos… —El jefe estaba nervioso y de mal humor.

Rojas miró a la calle y vio aparcado en la acera el coche patrulla con el que el jefe de la Local había pasado a buscarle. Un agente, que le pareció muy joven, estaba al volante con el motor en marcha. Invitó a entrar a Planas hasta el vestíbulo de la casa para poder entornar la puerta e impedir que se colara el frío, pero el otro prefirió esperarle dentro del coche.

Subió las escaleras y se vistió. En menos de cinco minutos estaba presto para marchar, pero antes de bajar y reunirse con el jefe de la Policía Local buscó entre los contactos de su teléfono el del inspector Julián Ortega, le llamó y oyó su voz grabada en el contestador. Colgó sin dejarle ningún mensaje. La llamada había sido instintiva, puesto que, como le había dicho el subinspector Barreta, ya estarían en la escena del crimen los policías de Premià de Mar; sin embargo, Rojas tenía una confianza ciega en Julián Ortega y por un momento tuvo la sensación de que iba a necesitarle. Presentía que el hecho de que en un día tan señalado, con todas las autoridades y medios de comunicación convocados, y con él, máximo responsable de la división de investigación criminal de Cataluña, viviendo a escasos metros del lugar del crimen, se produjera ese homicidio le iba a ocasionar problemas y pensó que sería mejor tener la situación controlada con alguien que le aportara plena seguridad.

En cinco minutos estaban en la iglesia de Sant Feliu. El reloj situado en la fachada, a la derecha del campanario, marcaba las siete en punto. Las primeras campanadas se activaban a esa hora para no molestar durante la noche a los vecinos y sonaron agudas y contundentes. Aparcados sobre la acera había un coche patrulla de la Policía Local, otro de la brigada de investigación criminal, una ambulancia y un furgón de la Científica. Las luces estroboscópicas azules y amarillas de los vehículos iluminaban las casas colindantes y despertaron a varios vecinos, que se asomaron a los balcones para curiosear.

Dos agentes de la Local que custodiaban la entrada de la iglesia les franquearon el paso y se cuadraron ante ellos. Rojas le pidió a Planas que se quedara con los curiosos en la puerta. En el interior, sentado en uno de los bancos, vio al párroco, que estaba siendo interrogado por dos policías. Se dirigió a él, pero en ese momento salió a su encuentro un subinspector de policía y le tendió la mano.

—Subinspector Delgado, señor... Arriba —señaló con el mentón hacia el campanario—, ha subido un equipo de la Científica. Apenas hay espacio para tanta gente. —Tras él salieron dos policías más.

—¿Qué tenemos, subinspector? —preguntó Rojas.

—Algo espeluznante, comisario. Quien haya cometido semejante crimen debe de ser un enfermo mental. Se ha ensañado con la víctima. Tiene varias heridas punzantes en el costado derecho. No sé qué dirá el forense, pero para mí que la han dejado desangrarse hasta su muerte, le han vaciado los ojos y la han colgado de la campana. El cura dice que oyó ruidos y entró en la iglesia. Notó un olor como a azufre, eso dice… No deja de repetir que se encontró cara a cara con Lucifer, ya sabe, el diablo, y que este salió corriendo por ahí. —Señaló la puerta de la iglesia.

—Conozco a Dimas, seguro que está bajo el efecto del *shock*, porque de lo contario no diría algo así. ¿Se sabe quién es la víctima?

—Pues el caso es que me suena.

—¿Le suena? —dijo Rojas atónito—. ¿Qué quiere decir con que le suena, subinspector Delgado?

—Pues, no sé, me recuerda a alguien que no hace mucho he visto por televisión. —El policía debió de deducir ante el gesto de extrañeza del comisario que este no tenía ni idea de qué le hablaba—. Creo que la víctima es una presentadora o alguna famosa de la tele —insistió.

—Mire, déjelo —le interrumpió Rojas impaciente—, me refería a si sabe quién es la víctima, no a quién le suena que pueda ser… Déjelo, Delgado, déjelo. Si ese es su método para identificar a un cadáver…

—Lo siento, comisario, pero es que a los compañeros que la han visto también les parece alguien conocido —volvió a decir Delgado—. Además, tiene un tatuaje en un hombro: una flor de lis, como alguien de la tele que no recuerdo.

—Vaya, muy original… ¿Será Milady de Winter, la agente de Richelieu, la que quería matar a D´Artagnan? Ya sabe, la de los Tres Mosqueteros. ¡Ande, no me joda! —El comisario estaba fuera de sus casillas; volvió a pensar en el inspector Julián Ortega y en dónde estaría en esos momentos. Necesitaba que se pusiera al frente del caso en seguida.

—Bueno, a lo mejor es un tatuaje muy común, comisario, pero que coincida en una mujer morena de pelo corto y con el mismo parecido que la de la tele es ya más difícil, ¿no le parece? Mis compañeros también creen… —Miró hacia los policías que estaban junto al inspector y estos asintieron.

—Está bien, está bien. —Rojas alzó ambas manos para impedir que Delgado prosiguiera con sus explicaciones.

Los dos policías que estaban interrogando al párroco reclamaron al alimón la presencia del médico de la ambulancia. Al parecer, el cura había entrado en estado catatónico: estaba rígido, respiraba con dificultad y tenía los ojos como platos mirando al infinito. El comisario autorizó a que se lo llevaran al hospital de Can Ruti, en Badalona, y ordenó que un coche patrulla le escoltara y que le vigilaran en todo momento.

La camilla en la que se llevaron los sanitarios al cura obstruyó el paso del juez de guardia, que entraba en ese instante en la iglesia para levantar el cadáver. Rojas le saludó con un gesto y Delgado hizo un ademán para que lo acompañara escaleras arriba hasta el campanario. De pronto el juez volvió sobre sus pasos como si olvidara algo. Fue hasta la pila de agua bendita, introdujo en ella la yema de los dedos de su mano derecha y se los llevó a la frente para santiguarse; después siguió a los policías y se perdió tras el portón por el que se accedía a la torre del campanario.

Rojas reparó en que seguramente ninguno de los policías habría seguido la liturgia a la entrada de la iglesia; incluso algunos llevaban puesta la gorra de plato en la capilla. Cuando entraba la policía en cualquier escenario de un crimen el lugar perdía toda relevancia institucional, lo importante era obtener pruebas y, si era necesario ponerlo todo patas arriba, se ponía sin ningún miramiento. Aunque él era del mismo parecer que su mejor hombre, el inspector Julián Ortega, que prefería que, antes de revolver y trasegar las cosas alrededor de un cadáver para introducirlas en bolsitas de plástico, había que escrutar cuidadosamente el lugar y sus alrededores sin tocar nada, ni siquiera con guantes de látex.

Eso le hizo pensar en que todavía no había subido a ver el cadáver. ¿Estaría perdiendo fuelle e interés por la investigación sobre el terreno? Se sintió mal. Era cierto que llevaba varios años encerrado en un despacho y visitando el de muchos políticos, y que su labor, desde que le habían puesto al frente de la División de Investigación Criminal, se ceñía más a tareas de coordinación con las otras áreas de la Dirección General de la Policía que a perseguir los casos de homicidios. Sin embargo, el hecho de que este crimen se hubiese producido a pocos metros de su casa y a pocas horas de que llegasen las autoridades estaba paralizando su instinto de policía. Era consciente de que estaba más preocupado de cómo debía desmontar un acto en el que habían puesto el foco muchos medios de comunicación que en entender lo que allí había pasado.

Últimamente Rojas había sonado como director general de la policía catalana. Su currículum era intachable: como comisario había conseguido desactivar las principales bandas de extorsión y narcotráfico tanto de la mafia rusa como de la rumana, y lo había hecho con una ejemplar armonización entre las competencias e intereses de los distintos departamentos y unidades, incluidas las del resto del Estado. El comisario no veía impedimento en que fluyera la información si eso iba a favor de acabar con la delincuencia organizada.

Pero de ahí a ocupar un cargo netamente político iba un largo trecho que no estaba dispuesto a recorrer. Tuvo que justificar su renuncia a un puesto más político ante el consejero de Interior en más de una ocasión. Había tomado la decisión de retirarse en el momento adecuado, y además en Alella, un pueblo en el que se sentía muy a gusto.

Estaba en estos pensamientos cuando vibró su teléfono en el bolsillo. Era el inspector Julián Ortega.

—¿Dónde cojones te habías metido? —le soltó Rojas, y su voz reverberó entre las paredes de la capilla—. Te necesito aquí en quince minutos.

—¿Aquí? ¿Dónde comisario? ¿Qué pasa? —Julián parecía desconcertado.

—¿Que qué pasa?… Pues que tenemos a Milady de

Winter colgada de una campana de la iglesia de Alella, la misma campana que pretenden tocar en pocas horas el presidente del gobierno catalán y el arzobispo. Pasa que no me fío de los que están al frente de esto y… Espera, espera un segundo. —Rojas interrumpió la conversación, pues tenía al juez delante de él. Este apenas había estado unos minutos en la azotea de la torre.

—Bueno, yo ya he hecho mi labor, comisario —le dijo con una sonrisa que pretendía ser amigable—, ya pueden llevarse a la pobrecilla. ¿Sabe?, no sé qué le parecerá a usted, pero yo creo que si es la que pienso no hubiese ganado… Era demasiado, demasiado… tímida y apocada, eso creo.

Rojas no entendía lo que le estaba diciendo el circunstancial juez de guardia.

—¿No hubiese ganado qué?

—Pues que si finalmente la identifican como la del concurso de la tele, como sugieren sus policías y… La verdad es que yo también, creo que, aunque le parezca humor negro, no lo habría ganado. ¿Cree que su muerte tiene que ver con el programa?

—Yo… —En su confusión, el comisario no fue capaz de articular una respuesta.

El juez se volvió hacía la pila y ungiéndose la frente con el agua bendita se santiguó para acto seguido desaparecer.

Al otro lado del teléfono, Julián Ortega había oído la conversación y estaba tan desconcertado como el propio comisario.

—Estaré ahí en pocos minutos —le dijo a su superior.

Capítulo cuatro

*L*eire Castelló salió del vestuario con el vestido corto de color azul que le había sugerido la estilista para presentar las noticias. Se dirigía con paso decidido hacia el set televisivo desde donde se emitiría el informativo de las nueve de la mañana y se detuvo a curiosear en los platós uno y dos del canal de ADN TV, en los que revoloteaba un enjambre de operarios.

Eran los dos estudios de mayor tamaño de los cuatro de que disponía la cadena de televisión. Contiguos y separados por gigantescas mamparas correderas, al abrirse, permitían disponer de casi dos mil metros cuadrados diáfanos con una altura de quince metros. Eran ideales para emitir grandes producciones televisivas, como los macro concursos o los *late show*, y podían albergar doscientas personas en las gradas construidas para el público.

Leire vio un equipo de electricistas que tiraba cables bajo el suelo de caucho y otro comprobaba desde el techo las varas fijas de los focos, dispuestas cada dos metros para iluminar los distintos sectores del estudio.

Desde la sala de control, un técnico hacía pruebas de sonido con el ordenador de mezclas, abriendo y cerrando los micrófonos inalámbricos de varios empleados dispersos por diferentes rincones del edificio.

Una pantalla de plasma de considerable tamaño, situada tras unos sillones ergonómicos de diseño ultramo-

derno, emitía en tres dimensiones las imágenes de la cabecera del programa *Esta es tu vida*, unas pupilas gigantes
que se dilataban y contraían compulsivamente, como si
sufrieran el impacto brusco de la sorpresa o el terror, bajo
la atenta mirada de dos trabajadores que ajustaban los registros con sendos mandos a distancia. Sonó con fuerza la
melodía del programa. Era la versión en español de una
canción de un grupo californiano de rock que a Leire le
encantaba, Switchfoot, pero la letra no era la misma: el
«*Don't close your eyes...This is your life, are you who
you want to be?*» se había traducido por «No cierres los
ojos... Esta es tu vida, y no la que crees haber vivido».

El ir y venir de los utilleros descargando cajas y
abriéndolas para desembalar plafones, pantallas, cuadros
y ornamentos de metacrilato que se iban a emplear en
aquel escenario era dirigido por los responsables de *atrezzo*,
que daban órdenes a voz en cuello para ser oídos desde
cualquier rincón de aquel colosal espacio.

A Leire le pareció que todo aquello era un enorme des-
propósito, y sin embargo se quedó boquiabierta cuando
vio que del suelo emergían unas plataformas que aupaban
una especie de fuentes que proyectaban rayos láser simulando chorros de agua de colores. En el centro de esa lu-
miniscencia aparecieron unas mesas psicodélicas con un
rótulo de neón con las palabras «Jurado Popular».

Pudo comprobar, tal como se rumoreaba, que la
apuesta económica que la cadena había hecho por aquel
concurso de telerrealidad era la más alta que se conocía en
la historia de la televisión española; incluso se decía que la
productora externa que lo realizaba, Nómada Films, estaba obligada a renovar la decoración del estudio cada semana. Se comentaba también que el programa debía alcanzar una cuota de pantalla del 20 por ciento para poder
ser rentable. Los anunciantes habían contratado las tres
primeras entregas a precios altísimos, pero las tarifas pu-
blicitarias serían moduladas a posteriori en función de la
audiencia; había sin duda mucho dinero en juego.

El caso es que se había emitido ya una primera entrega hacía una semana y se habían superado las previsiones más optimistas: «Esta es tu vida» había sido lo más visto de la televisión, con una cuota media de pantalla del 35 por ciento que había llegado a picos del 51. Eso quería decir que algo más de la mitad de los telespectadores se habían conectado en algún momento al concurso de ADN TV. Leire sonrió para sí pensando en que ella apenas había alcanzado a reunir al 10 por ciento en la franja horaria de los informativos matinales. En los estudios uno y dos se jugaba en otra división, sin duda; incluso a otro deporte y con otras reglas.

Estaba ensimismada, apoyada la cadera en la jamba de la puerta, cuando la sobresaltó el roce de una mano sobre su cintura. Se giró y vio a Víctor Comella, el jefe de programas de ADN TV.

—¿Qué te parece? ¿Te animas a concursar? —Comella soltó una risita y se acercó a los labios un vaso de plástico blanco con café humeante. A Leire le extrañó verle a esas horas tan tempranas de la mañana.

Comella era un zorro viejo en las lides de la producción audiovisual a pesar de que no había cumplido los cuarenta. Su carrera profesional ya le había dado como para abrir y cerrar dos productoras propias y trabajar en tres canales de televisión. Lo último en que se había empleado con ahínco era en externalizar muchas de las tareas que se llevaban a cabo desde la cadena: los cámaras habían sido despedidos con escuálidas indemnizaciones y vueltos a contratar por hipotéticas empresas externas, pues se rumoreaba que estaban participadas por ADN TV, a precios más baratos; los estudios estaban cedidos a las productoras, que tenían la obligación de alquilarlos si querían colocar sus contenidos en la cadena, y hasta las azafatas, maquilladoras y buena parte del personal técnico de control, que habían pertenecido a la plantilla de ADN TV, estaban integrados en otras sociedades con salarios reducidos. El papel de Comella se había vuelto más administrativo, pues debía coordinar las minutas de decenas de empresas a la par que velar por que se cumplieran los cánones de calidad y los objetivos de audiencia que había fijado el director general.

—Me parece un engendro, ¿qué quieres que te diga? —respondió Leire haciendo ademán de marcharse, mientras miraba su reloj como si el tiempo la apremiara. Comella la detuvo sujetándola por el brazo.

—Espera, espera, aún tienes unos minutos antes de entrar en los informativos. ¿Te ha contado Ruiz lo del apoyo que nos tenéis que dar y todo eso?

Arturo Ruiz era el responsable de informativos y el jefe de Leire, y esta no sabía a qué venía eso del apoyo. Tanto Ruiz como Comella estaban en el mismo nivel en el escalafón de directivos y ambos dependían del director general, Marcos Palazzi, un especialista en marketing cuyo lema decían que era «Todo lo que el espectador se traga hay que cebarlo para engordarlo». Con esa política había ordenado llenar la parrilla de programas del corazón y sucesos, además de saturar el *prime time* de la cadena con *reality shows* y tertulias calificadas de *barriobajeras* por muchos medios de comunicación, a pesar de que decenas de periodistas pugnaban por aparecer en ellas. A cambio, dejaba que los informativos fueran plurales y «críticos», pues de lo contrario creía que se hacían repetitivos y tediosos, y alentaba con frecuencia algunos reportajes de investigación de elaboración propia. Esa combinación le estaba dando un buen resultado a Palazzi, que se había convertido en un gurú de la televisión.

—¿A qué te refieres? ¿Qué tienen que ver los informativos con este circo? —inquirió Leire sorprendida.

—Bueno, ya sabes que hemos batido el récord de audiencia de la cadena, y esto no ha hecho más que empezar. La semana pasada fue el *casting* de aspirantes y esta, ya con la criba hecha, empieza el espectáculo. Necesitamos seguir calentando el ambiente y el pacto con Ruiz es que durante todo el día los informativos van a incluir una pieza breve refrescando la memoria de nuestros infieles espectadores para convocarlos de nuevo esta noche a las diez. ¡A por ellos! Ya conoces el lema: hay que cebarlos…

—Rio con ganas. Leire lo notaba feliz y relajado, como si el éxito, tras algunos ensayos fracasados, le hubiera liberado de repente de todas las vicisitudes que había vivido en los últimos meses. Ella, sin embargo, se iba poniendo en tensión.

—¿Y qué se supone que voy a contar en mi informativo?

—Bueno, eso ya es asunto vuestro. Yo ya le he dado los datos a tu jefe. Incluso os hemos producido unas *cápsulas* con los aspirantes que han quedado cojonudas. Tenemos unos participantes que van a dar mucho juego, ya verás.

—Mira, de verdad que no sé de qué me hablas. Ni siquiera sé muy bien cómo funciona este concurso, o lo que sea. Te confieso que mi interés es nulo, y perdona porque a lo mejor debería haberte felicitado… ¿Es idea tuya lo de *Esta es tu vida*?

—Sí, es idea mía. Y no, no es un concurso. Es un formato muy exportable y le hemos metido muchas horas para que todo funcione como un reloj. Trabajamos con material muy sensible, tenemos un equipo de reporteros de investigación de primera, asesores legales, psicólogos, detectives, expertos en redes sociales…

—¿Qué investigan esos reporteros?

—Básicamente la vida del concursante hasta el más ínfimo detalle. Te puedo asegurar que lo sabemos todo sobre ellos. De hecho, el programa consiste en saber más que ellos. Su apuesta es contra los que creen que saben de su vida y la de los suyos. En el fondo les abrimos los ojos a la realidad, les servimos en bandeja las falsedades y engaños en las que han vivido. Todo lo que sale en pantalla está perfectamente documentado y hasta filmado. —A Comella se le notaba orgulloso por el trabajo realizado.

—¿Y la gente se presta a que se hurgue en su intimidad y se airee su vida y la de los suyos? ¿Todo por dinero? ¡Joder, cómo están las cosas!

—Por dinero, seguro, pero algunos buscan también la fama. Mira, no me parece que a estas alturas nos la tengamos que coger con papel de fumar. Te aseguro que no hay mucha diferencia entre los métodos de investigación de mis reporteros y los que utilizáis los que estáis en el altar del predicamento protegidos por el prestigio y el privilegio de trabajar en los servicios informativos. —Comella comenzaba a molestarse y pronunció las últimas palabras con menosprecio.

Leire, que llevaba colaborando un tiempo con ADN TV y al final había conseguido, con treinta y cinco años cumplidos, que le hicieran un contrato fijo en la redacción de los informativos, se sintió ofendida. Se tomaba muy a pecho su profesión de periodista y aceptaba que era un privilegio poder informar a la gente, pero no en el sentido con que el jefe de programas lo estaba diciendo. Su trabajo en la televisión tenía que compaginarlo con artículos sobre sucesos en el diario *La Nación* para poder vivir del periodismo con modestia, compartiendo el alquiler de un piso con su amiga Paola y comiendo en la cafetería de la tele, que tenía un menú de seis euros para empleados, o llevándose la comida de casa en una fiambrera. No se quejaba, sobre todo si se comparaba con otros periodistas que no tenían trabajo, pero discrepaba en que los medios de que disponía en su área fueran mínimamente equiparables con aquel dispendio para un programa de ocio de dudosa catadura moral.

Era tarde y al final decidió no entrar en una discusión estéril con Víctor Comella.

—Está bien. Lo veré ahora y lo plantearemos para el informativo del mediodía —dijo Leire.

Sonó el teléfono del jefe de programas y este le mostró ufano la pantalla iluminada para que viese que quien le llamaba era el director general. Lo descolgó y tapó el micrófono para que este no le oyera decir a Leire susurrando:

—¿Ves lo que te digo? Mejor será que lo deis también a las nueve. Te dará tiempo. Está todo preparado y Palazzi así lo espera. —Le dio la espalda y entró en el plató para contestar la llamada.

Leire se quedó pensativa y al instante decidió que no le iban a amargar el día por algo así. Pondría el vídeo y haría una locución en *off* para salir del paso, sin afección y con distancia suficiente como para no incomodarse. Eran cerca de las ocho y quedaba una hora para salir en antena. No había temas relevantes aquel día, salvo que pasadas las nueve aparecerían los nuevos datos del Instituto Nacional de Estadística sobre el desempleo.

El repiqueteo de los tacones de Leire por el largo pasillo que conducía hasta la sala de redacción se hizo patente en medio del silencio que reinaba a aquellas horas en la desierta cadena, a solo pocos metros del frenético ajetreo de los estudios de *Esta es tu vida*.

Cuando llegó frente al ventanal desde donde se veían las primeras mesas ocupadas por sus compañeros de los informativos, se contempló en el reflejo. Se sentía cómoda con el vestido azul de punto que le caía un palmo por encima de la rodilla y mostraba sus piernas estilizadas. La melena rubia, que la tenía en duda permanente sobre si debía recortarla, resaltaba sobre la chaqueta blanca de lana con la que se cubría los brazos y que había comprado en Zara. Pensó que su tercera temporada le pedía ya una reposición en cuanto cobrara a fin de mes.

Leire cuidaba de su físico con la alimentación más que con el deporte, que practicaba erráticamente apuntándose y desapuntándose de los gimnasios. Salvo el exceso de donuts del desayuno, siempre con un buen tazón de café, comía todos los alimentos cocinados en la plancha y sin probar el pan. En cuanto le parecía que asomaba un pequeño pliegue en su barriga optaba por alguna dieta entre semana que podía pasar incluso por los sobres de proteínas.

Se sabía deseada por muchos hombres, que miraban de soslayo sus ojos azules y al momento lo hacían con descaro sobre los pechos o las piernas cuando lucía algún escote o minifalda. Arturo Ruiz, su jefe, era uno de ellos. A veces la incomodaba cuando se sentaba sobre la mesa para comentarle cualquier simpleza y aprovechaba para mirarla por encima de la abertura de su camisa o le decía bromeando que el olor de su perfume lo trastornaba. Pero ella lo mantenía a raya. Ruiz era un cincuentón casado con María Clara, una de las secretarias de dirección de la cadena, con la que tenía dos hijos. Poco le costaba a Leire nombrársela cuando le hacía algún comentario que la importunaba para que automáticamente saltase como un resorte y la dejara en paz.

Leire tenía una relación con el inspector Julián Ortega que no acababa de ser estable. Tras varios intentos de convivencia parecía que ahora las cosas iban mejor entre ellos, aunque no tanto como para dejar el piso que ella compartía con su amiga Paola. Los horarios de ambos eran bastante incompatibles pero procuraban verse los fines de semana.

La periodista entró en la sala. El despacho de Ruiz estaba cerrado. Al parecer no había llegado todavía. Miriam, la redactora de deportes, estaba viendo unas imágenes de fútbol en su ordenador y la saludó levantando la mano con una sonrisa. Flavio, el de sociedad, estaba junto a la máquina de café y le ofreció uno; Leire asintió dándole las gracias. Fue a su mesa y enseguida Marc, el coordinador del informativo, le dejó sobre ella un resumen de los principales diarios y agencias de noticias. Sacó un donut de su bolso y le quitó el envoltorio para darle un bocado mientras le echaba un vistazo al informe. En las otras mesas, una decena de redactores tecleaban en sus ordenadores. En poco menos de una hora la escaleta con las noticias ya estaría lista y los textos dispuestos para ser corregidos y enviados al *teleprompter* situado en la cámara.

Leire no se sentía cómoda con el sistema que la obligaba a leer las noticias en la pantalla, pero sabía que los tiempos estaban medidos al segundo y que al realizador le iba mejor para sincronizar las imágenes que ella leyera los textos y no improvisara sobre ellos. Cuando trabajaba en la radio se negaba a leer siquiera los editoriales; con las notas que tenía sobre la mesa le era suficiente para conducir con fluidez su sección de sucesos y hasta un magazín matinal, como le tocó hacer durante una sustitución de verano en Radio Ciudadana.

Volvió la vista hacia el estudio y la sala de control, contigua a la redacción y separada por un grueso ventanal de vidrio a prueba de cualquier ruido que la insonorizaba por completo. Los focos estaban encendidos y un técnico hacía pruebas con el panel de croma verde sobre el que aparecería el espacio del tiempo.

Juan Cabrerizo, el meteorólogo, se situó de espaldas a la pared pintada de verde y abrió sus brazos sobre la nada. Frente a él aparecía una pantalla con el mapa de España sustituyendo el espacio de color, con las isobaras y las temperaturas que marcaban con una gran D la depresión, climatológica, en la que estaba sumido el país.

Era hora de acudir a la sala de maquillaje y Leire se llevó hasta allí los textos que iba a leer. Laura, la esteticista y peluquera, la sentó en el sillón, frente a un espejo con un marco silueteado de bombillas.

—¿Tengo ojeras, verdad?

—Estás guapísima. Ya me gustaría a mí tener ese cutis y esos ojos —le dijo con una sonrisa de condescendencia Laura, que ya conocía las manías y fijaciones de la periodista.

—Es que este espejo es el enemigo. Parece que tenga aumentos. Se ven todos los detalles. Ni por todo el oro del mundo me lo llevaría a mi casa, me deprimiría.

—Dicen que lo que aparece en este espejo es lo que sale por la cámara, jeje… Por si acaso, te voy a poner un tapa ojeras, pero que conste que no lo necesitas, niña. Estás hecha un bombón, no como esa presentadora de *Esta es tu vida*, que necesita sesión triple de capa y pintura para aguantar dos horas de programa. Susi, mi compañera del turno de noche, me dice que la hace ir de culo con el maletín de polvos a cuestas: que si se le caen los párpados con el calor de los focos, que si le brilla el bigote, que si ahora se le corre el rímel… Lo que pasa es que suda como un demonio.

—¿Tú también has visto el programa ese?

—A mí no me va esa basura, pero en casa se empeñan. Mi hija y mi marido ya están pendientes de esta noche. Te voy a recoger algo el pelo. Lo tienes muy largo…

Leire desvió la vista hacia uno de los folios y leyó en silencio:

Minuto 19: Esta cadena ha batido todos los récords de audiencia con su programa de entretenimiento *Esta es tu vida*. Más de la mitad de los españoles han seguido el primer programa de ADN TV, reforzando su indiscutible liderazgo. Esta noche serán seleccionados cinco de los diez participantes entre aquellos que confesaron que no habían sido infieles a su pareja. El programa ya ha demostrado lo contrario entre aquellos que creían que las personas de su entorno, familiares, amigos, compañeros de trabajo, conocidos…, no les habían mentido en la serie de preguntas y pruebas que les hicimos. Nuestro equipo de investigación ha descubierto diversas falsedades y engaños. En fin, buscamos abrir los ojos de los concursantes que creen que su vida es de una forma, aunque esta resulte ser de otra bien distinta. Buscamos en síntesis la verdad. (*Entra vídeo de un minuto con imágenes y sonido de momentos estelares del primer programa.*)

No lo olviden, esta noche, a las diez en punto, aquí en ADN TV, *Esta es tu vida*… Y recuerden que pueden seguir votando por ellos hasta el inicio del programa en los teléfonos que aparecen en su pantalla.

Le llegó a la garganta el sabor agridulce del donut azucarado que acababa de tomarse con el café. Al principio intentó corregir con un rotulador el texto, tachando lo de la mitad de los españoles para poner la mitad de la audiencia, pero al volver a leerlo todo lo dejó.

—Dios santo. Se han vuelto locos. «Buscamos en síntesis la verdad.» Me pone enferma —dijo en voz alta mientras se levantaba de la silla.

—Espera, espera —gritó Laura—, me falta quitarte un poco de brillo de la frente con la toallita. —Pero Leire ya se había ido con prisa en dirección al despacho de Arturo Ruiz.

El jefe de informativos mantenía su despacho cerrado a cal y canto. Leire fue en busca de Pedro Marín, el realizador. Lo vio en la *pecera* de control, departiendo amigablemente con sus ayudantes; parecían distendidos y de buen humor. Entró en la sala.

—Buenos días, Pedro, ¿sabes dónde está Arturo? Necesito hablar un minuto con él.

—Anda por la casa. Me dijo que empezáramos sin él. Creo que está con los jefazos. Algo gordo deben de estar preparando cuando se reúnen a estas horas, ¿no crees?

—Pues no sé. A lo mejor tú lo puedes arreglar… Es sobre el asunto del minuto 19, ese en el que tengo que hablar del *reality* en el que…

—Intocable —la interrumpió Marín—, eso es lo que dijo Ruiz. Ese tema se da tal y como viene montado. Tú lees la entradilla, yo pongo el vídeo y cierras con la recomendación de que llamen a los números de teléfono que saldrán sobreimpresos.

—¿No es negociable? El texto, aparte de muy publicitario, es inexacto porque…

—In-ne-go-ci-a-ble —deletreó con énfasis el realizador.

—Está bien, está bien.

Leire arrugó la nariz malhumorada y volvió a su mesa para entrar en las páginas webs de diarios y agencias, y consultar las últimas noticias; luego llamó a Julián, pero este no le cogió el teléfono. Él solía calmarla cuando se sentía agobiada en su trabajo, aunque pintaba que no iba a contar con su acción terapéutica antes de empezar el informativo.

Decidió que lo mejor era centrarse en la salida de las cifras oficiales de desempleo que se anunciarían en breve. Las filtraciones y rumores bien informados apuntaban a que bajaría la tasa de paro, porque habían cambiado el método de la encuesta y actualizado el censo. Tenía previsto conectar en directo con la Secretaría de Estado de Empleo y dar paso al redactor jefe de economía para que expusiera en dos minutos un análisis de los datos. Era algo habitual a principio de mes, como también lo era desde hacía muchos meses conectar con la Bolsa y ofrecer los datos de apertura del Ibex 35 y de la prima de riesgo. Todo le pareció controlado cuando Marc le dijo que faltaban cinco minutos para las nueve y se dirigió a la mesa ovalada del estudio.

Laura la perseguía con unas toallitas con polvos translúcidos para quitarle los brillos de la frente y el mentón, al tiempo que Marín le pedía que fijase la vista en la cámara tres y comprobara si en su ordenador portátil aparecía con claridad el texto del *teleprompter* que estaba bajo el objetivo. Ella asintió con el pulgar hacia arriba.

Un ayudante de realización levantó la mano e inició el conteo desde cinco hasta cero con los dedos, y la carátula con la sintonía de ADN TV-Noticias apareció sobre las dos pantallas que Leire tenía delante.

—Buenos días y bienvenidos a ADN TV-Noticias. Estos son los titulares de las informaciones más destacadas de hoy.

Una voz en *off* pregrabada y perfectamente sincronizada con las imágenes daba cuenta de las noticias que más tarde iba a desarrollar Leire. No habían transcurrido ni treinta segundos cuando la periodista oyó en sus auriculares inalámbricos la voz angustiada de Marín.

—Leire, Leire, abortada la información del minuto 19. ¿Me has oído? Salta a la siguiente noticia. Hay órdenes de parar la información de *Esta es tu vida*. ¿Me has entendido? ¡Salta a la siguiente noticia!

Leire asintió con la cabeza y puso un gesto de extrañeza cuando miró al realizador, que estaba en la cabina de control. Este, por toda explicación, gesticuló con el teléfono en la mano señalando el auricular con el dedo. A ella le pareció que había recibido órdenes de arriba de parar la información.

¿Qué estaba pasando?

Capítulo cinco

Julián Ortega llegó a la iglesia de Alella justo cuando metían el cadáver de la mujer en la ambulancia. Pidió a los camilleros que abrieran el saco en el que la habían introducido para el traslado. Ante él apareció un rostro joven con las cavidades orbitales vacías, y sin embargo le extrañó que sus labios amoratados apuntaran una sonrisa.

Dedujo que tendría cerca de cuarenta años; el cuello estaba terso y ligeramente azulado, al igual que sus pómulos, surcados por unos hilillos de sangre seca que habían corrido como regueros de lágrimas oscuras. El forense se acercó y, abriendo dos tercios de la bolsa de plástico, señaló las heridas incisas en el costado derecho del cadáver, de donde supuraba bilis procedente de las entrañas de la mujer.

—Tiene múltiples lesiones. Hay órganos vitales afectados: pulmón, riñón e hígado seguro. Por la separación y profundidad de las heridas, parece que se hicieron con una horca de puntas de hierro, una especie de tridente de esos que se utilizan para remover las parvas en el campo. El hecho de que estuviera colgada de la espadaña por la muñeca y a la intemperie —continuó el forense— le ha provocado esta rigidez. Sin embargo, creo que cuando la trajeron aquí ya estaba muerta.

—¿Cuándo tendrá el resultado de la autopsia? —preguntó Julián.

—¿Completa? En cuarenta y ocho horas, máximo setenta y dos. Le adelantaré lo que tenga.

El forense subió a su coche y la ambulancia arrancó a toda velocidad. Julián oyó la voz del comisario, procedente del interior de la iglesia. Entró y lo vio hablando con los de la Policía Científica. El comisario se volvió hacia él con el rostro malhumorado.

—Menos mal que has llegado. ¿Dónde estabas? Tienes una pinta del demonio… Si es que se puede decir eso dentro de una iglesia.

—He tenido una noche algo movida —contestó el aludido lacónicamente.

Julián había pasado toda la noche en vela en el hospital. Le llamaron a las dos de la madrugada. Su madre había sufrido un desmayo en el portal de casa y un vecino había avisado a una ambulancia, que la trasladó hasta el hospital de Sant Pau, a pocas calles de donde vivía, en el barrio barcelonés de la Sagrada Familia. Todo se había quedado en un susto; al parecer, la pérdida de conciencia se debía a una hipotensión, pues las pruebas médicas que le practicaron durante la noche estaban dentro de la normalidad.

La tendrían un día en observación, más por la insistencia de Julián que por los deseos de su madre y de los médicos, que, ante los enésimos recortes presupuestarios, tenían instrucciones de darle el alta una vez practicadas las pruebas.

Julián arrastraba un sentimiento de culpa porque había discutido con ella cuando la subieron a planta. Estaba en la cama, con buen aspecto y de buen humor, y él se había dedicado a reñirla por llegar tarde a casa y por confesar divertida ante los médicos que quizá le había sentado mal la mezcla de vino y cóctel que se tomó tras la cena con unas amigas.

Su madre había enviudado hacía más de veinte años. Julián acababa de cumplir dieciocho cuando su padre sufrió un infarto mientras conducía por una estrecha carretera de montaña que unía varios pueblos de la comarca. Trabajaba como visitador médico para unos laboratorios alemanes y se pasaba buena parte de la semana fuera de casa. Encontraron su coche en un terraplén, oculto entre los arbustos, cuando llevaba horas muerto.

Julián tenía una relación bastante superficial con su padre, quizás influían en ello las repetidas ausencias, que le hacían sentirse más próximo, y protector, de su madre, y no notó su falta, al menos inmediatamente después de su fallecimiento.

Recordó haber estado alguna vez con él en Alella: lo llevaba de paquete en la moto Guzzi con sendos baúles a los costados en los que cargaban el vino de la cooperativa, tras desayunar copiosamente en el restaurante Durán, situado en la carretera que atravesaba el pueblo. Pero de eso hacía ya una eternidad. Durante un tiempo madre e hijo se confortaron mutuamente; sin embargo, él la cuidaba y controlaba en exceso, pues creía que la soledad y el vacío de su madre suponían un desamparo superior al que él sufrió con su orfandad.

Y ahora, tantos años después, tenía la sensación de que últimamente su madre se estaba excediendo en sus salidas, y lo peor era que había perdido todo control sobre sus acompañantes. Le parecía que a su edad debería tener una vida más reposada y hogareña.

El exceso de tutela de Julián sobre su madre se extendía también a Leire, y a veces generaba el efecto contrario al que pretendía, porque le costaba discusiones y enfados con ella que le hacían sentirse mal. Pero era algo que no podía evitar. Y no se trataba de celos, ni siquiera de un agobio y control constantes, sino más bien de lo contrario: Julián desaparecía de su vida de repente y luego pretendía compensar esas ausencias volcando su amor en ella como si no hubiese sucedido nada en el tiempo que había transcurrido sin verla.

Era consciente de que la ofuscación que sentía al culpar a su padre por no haberle dedicado más tiempo a su familia era pareja a la sensación de culpabilidad que, de algún modo, él sentía por la actitud que adoptaba con Leire, y que achacaba a su absorbente entrega a la policía.

El caso es que Julián sentía una nebulosa en el cerebro por el cansancio y el estrés, y porque le asaltaba la mala conciencia al ser incapaz de demostrarle a su madre el cariño que le tenía, siquiera en los momentos emocionalmente más importantes.

Cuando Luisa se durmió y Julián vio en el móvil la llamada del comisario, se la devolvió enseguida. Habló con las enfermeras para que estuvieran pendientes de ella y cogió su moto en dirección a Alella.

—Lo primero es identificar el cadáver. Me estoy haciendo un lío. Estos creen que se trata de alguien que sale en la tele. —Rojas señaló con la mirada a Delgado y a dos de sus hombres, que estaban junto a él—, y hasta el juez cree que la ha visto en un concurso de esos.

—No veo mucha televisión, así que tendremos que acudir a los métodos habituales: huellas, dentadura, marcas singulares, fotografías… Y sobre todo a ver si los telespectadores denuncian su desaparición, ¿no creen? —dijo Julián con ironía.

Los forenses de la Científica pusieron cara de pocos amigos ante la broma del inspector.

—Oiga, comisario, si no nos necesita nosotros todavía tenemos trabajo aquí —respondió de mala gana Delgado.

—Venga, chicos. No os la cojáis con papel de fumar —terció Rojas—, ¡joder, qué susceptibles que estamos todos hoy! El que os va a dejar soy yo. Tengo que llamar al consejero de Interior para que suspenda el plan de festejos que tenían montado aquí, así que el inspector Ortega se queda a cargo del caso. —Y volviéndose a Julián le dijo—: Quiero que me llames ante cualquier novedad, y si no la hay lo haces cada dos horas, ¿entendido?

El comisario se montó en el coche patrulla con el jefe de la Policía Local y desapareció por una angosta calle que llevaba hasta el cuartelillo de los agentes, donde Rojas tenía pensado montar el operativo para desconvocar el acto de las campanas.

Julián, que estaba enemistado con los métodos de la Policía Científica, necesitaba en esta ocasión apoyarse en los forenses antes de echar un vistazo al lugar del crimen, pues daba por descontado que lo habrían alterado todo y le tocaría reconstruir la escena original con su ayuda.

Se le antojó una paradoja pensar en un asesinato en ese lugar de paz por antonomasia; sin embargo, al instante le vino a la cabeza una idea que podría ser absurda: ¿cuántos santos habían sido martirizados como la pobre mujer que habían colgado de las campanas? ¿Y a cuántos de esos mártires les habían sido arrancados los ojos?

Recordó un libro que perteneció a su abuela y que contenía imágenes de santos torturados que aparecían con los miembros mutilados con una expresión de sosiego en la cara que no se correspondía con el dolor por las vejaciones y mutilaciones a las que habían sido sometidos. De pequeño le había impresionado hasta tal punto que tuvo pesadillas durante varias semanas, y desde entonces siempre reparaba en la imaginería inerte e inexpresiva de los retablos medievales y barrocos de las iglesias.

La expresión plácida y medio sonriente de aquella mujer torturada era un calco de la que recordaba en la iconografía de santa Lucía, condenada a la hoguera por su fe cristiana y a la que el fuego no provocó daño alguno; Julián recordó también de sus lecturas infantiles que cuando sus torturadores vieron que nada podía con ella, le extirparon los ojos, y aun así ella siguió viendo. Finalmente murió decapitada.

Los forenses de la Científica le enseñaron las fotos que habían tomado en el campanario, le mostraron las manchas de sangre sobre los escalones de iroko y le pusieron al tanto de la increíble declaración del párroco, que aseguraba haber notado un fuerte olor a azufre y haberse topado con el mismísimo Lucifer. Julián percibió el olor húmedo, incensado y acibarado de la capilla, pero no notó nada diferente del que desprendían otras iglesias.

La sirga de cáñamo con que había sido colgada la víctima de la muñeca estaba envuelta en una bolsa esterilizada de plástico y en la entrada de la iglesia habían tomado huellas de un calzado que bien podrían ser de unas botas de gran tamaño. Se fijó en los zapatos de uno de los forenses y pensó irónicamente que a lo mejor se había tomado sus propias huellas. Consideraban también los científicos que el crimen podría haber sido cometido por una sola persona, un hombre, pues el peso de la víctima no excedía de los cincuenta y cinco kilos. La puerta de la iglesia tenía una cerradura convencional y cuando llegaron estaba abierta.

Julián subió al campanario. Le dijeron que habían impregnado el metal de las campanas con sustancias electro-cromáticas para detectar huellas dactilares y habían cubierto de albayalde las paredes y el suelo con el mismo fin.

Estaba atendiendo a las explicaciones cuando recibió la llamada del subinspector Fernando Barreta.

—Tenemos un aviso del canal ADN TV. Ha llamado el jefe de informativos diciendo que una llamada anónima les ha alertado del crimen de Alella.

—¿Y? —Julián no conseguía procesar la información.

—Pues que les ha dado detalles de que el cadáver de una tal Lucía Ketana está colgado en las campanas de Alella y textualmente les ha dicho que «nunca más volverá a abrir los ojos».

—A la chica le han vaciado los ojos. ¿Qué tenía que ver con la televisión?

—Lucía Ketana era una de las participantes en el concurso *Esta es tu vida*, un *reality* de la cadena que se emite desde hace poco y que ha tenido un gran éxito. Al parecer, estos de la tele tienen controlados a todos sus concursantes… Bueno, el hecho es que la llamada anónima les dijo que ella estaba colgada de las campanas y que han llamado a la concursante, que tenía que estar a primera hora en la tele, y no les ha cogido el teléfono. Ya sé que suena extraño, pero he creído que debías saberlo.

—Sí, claro, está bien. Mira qué puedes averiguar sobre la procedencia de la llamada. En un rato iré a comisaría y hablamos —dijo Julián.

—Por supuesto, me pongo a ello.

A Julián le vino de nuevo a la cabeza la imagen de Lucía de Siracusa, la santa mártir, con el rostro sin ojos y una sonrisa plácida dirigida a nadie, como si mirara al infinito para verlo todo. Otra Lucía acababa de ser torturada y asesinada. Y lo último que habrían visto sus ojos, antes de serle arrancados, era a su asesino, que, según el cura, era el mismísimo diablo.

Lo encontraría, se dijo, aunque tuviese que descender hasta el infierno.

Capítulo seis

La secretaria entró con una bandeja llena de sándwiches y cruasanes en la sala de juntas, contigua al despacho del director general de ADN TV, Marcos Palazzi, y la dejó en el centro de la mesa. Le pareció que el aire estaba enrarecido por la mezcla del humo del tabaco, el olor a tostado del café y hasta el de los perfumes de los que allí se habían reunido. Entreabrió uno de los ventanales que daban al jardín tropical que rodeaba buena parte de las instalaciones de la televisión, en el barrio barcelonés de Poble Nou. Detrás de ella, un camarero repuso sendas jarras de café y de leche.

Palazzi interrumpió abruptamente su discurso hasta que ambos abandonaron la sala, como si quisiera guardar en secreto el debate en que estaba inmerso con sus tres colaboradores.

Se levantó con energía y cerró de nuevo el ventanal. Fuera había un ruido infernal. Al hacerlo recorrió con la vista las palmeras que flanqueaban el sendero de césped. Reparó en el jardinero que estaba sulfatándolas por tercera vez en un mes con un compresor de aire en una carretilla. Le habían explicado que el picudo rojo, una especie de escarabajo que penetraba en el tronco de las palmeras devorándolas desde el interior, se había instalado en el jardín. Alzó la vista justo cuando un rayo de sol que asomó entre las nubes le obligó a cerrar los ojos.

Marcos Palazzi arrugó el labio superior y su poblado bigote se montó sobre la nariz produciéndole un ligero cosquilleo. Era un tic que le sobrevenía cuando debía tomar una decisión importante y que infantilizaba la expresión de su cara redonda y sonrosada:

—Mi criterio es que a pesar de todo deberíamos emitir el programa esta noche —dijo volviéndose hacia sus interlocutores y esperando de ellos su parecer. Aunque no tenía la decisión tomada, el director general siempre exponía su opinión el primero, a riesgo de cambiarla, para provocar la discusión.

—Estoy de acuerdo —intervino escuetamente Víctor Comella antes de mordisquear uno de los cuernos de un cruasán.

—Yo estoy a lo que digáis. Ya sabéis que está todo preparado, pero si creéis que se debe aplazar hasta que se resuelva el asunto… También podría tener morbo esperar un par de semanas calentando el tema —valoró Juan Mejías, el director de Nómada Films, la productora que realizaba *Esta es tu vida*, que tenía asegurados sus honorarios tanto si se emitía como si no el programa.

Palazzi volvió la vista hacia Arturo Ruiz. El jefe de informativos andaba tecleando en su iPhone con la mano izquierda mientras sujetaba un cigarrillo encendido con la derecha, como si buscara la mejor decisión en la pantalla de su *smartphone*.

—¿Qué opinas tú, Arturo? ¿Debemos continuar aunque se nos echen encima los cuatro críticos mojigatos defensores de la televisión aburrida? —insistió el director general.

—A mí me parece que el tema es muy grave como para continuar con un *reality* que ya se mueve en el filo de lo ético. Si siguiéramos, incluso si superáramos la audiencia, podríamos quedar marcados de forma irreversible. No se trata solo de la opinión de los de siempre, sino de la marca y la credibilidad de la cadena.

—¡Venga ya, déjate de hostias! —saltó Comella—,

desde el principio has estado en contra de *Esta es tu vida*. No me vale tu discurso moralista. Sabíamos a lo que nos enfrentábamos cuando…

—¿A un asesinato? ¿A eso nos enfrentábamos, Víctor? —le interrumpió Ruiz.

—Mira, todavía hay que demostrar que ese accidente tenga que ver con el programa. Hemos avisado a la policía, ¿no? Tenemos todos los contratos firmados y revisados por el mejor bufete de abogados. No tenemos ningún impedimento legal para seguir. Haremos un panegírico de la concursante, daremos jabón a sus amigos y familiares para que sea un pequeño homenaje. La gente, no solo lo entenderá, sino que se van a quemar los televisores con la audiencia… Y además, ¿tú sabes la pasta que perdemos si no emitimos el programa? —Miró a Javier Pozas, el director de publicidad—. Díselo, Javier, dile cuáles son los ingresos de esta noche.

El aludido no necesitó consultar la carpeta que había subido a la reunión para contestar con aplomo.

—Solo que repitamos audiencia tenemos cuatro millones de euros asegurados. Pensaba pediros que abriéramos más bloques de publicidad, tengo en cola un millón más.

—Ya ves, eso es lo que nos comemos. El sueldo de dos años de todo tu equipo de informativos se esfuma en una noche, en pocas horas.

—Eres un tramposo —contraatacó Ruiz—. Tú sabes que parte de ese dinero se puede recuperar y que algunos anunciantes, si tienen la más mínima decencia, podrían anular sus *spots* si hay una campaña en contra. En cualquier caso, no deberíamos descartar que el juez instructor impida que se emita el programa si declara el secreto de sumario. Esta mañana vamos a tener a la policía merodeando por aquí y querrán saber cómo os habéis hecho con una base de datos de los participantes, la relación entre ellos y todos esos detalles que lleva aparejada una investigación. Pareces olvidar que a tu concursante la han encontrado colgada de unas campanas y que nosotros hemos dado el aviso. Debemos de ser su única pista por el momento.

—¡Venga ya! Lo que tenemos que hacer es proteger esa información y que no salga ni un solo dato de esta casa. La asesoría jurídica ya sabe lo que puede y no puede mostrar a la policía. Es cuestión de no ponerse nervioso y actuar con normalidad emitiendo el programa esta noche. A estas horas ya lo habrán anunciado en tu informativo... —replicó Comella.

—Pedí que no lo dieran.

—¡Eres un cabrón!

—¡Basta ya! Se lo autoricé yo. Hasta que tomemos una decisión... —intervino Palazzi, que había permanecido atento escuchando con atención la refriega verbal entre sus colaboradores.

—De todos modos esto es imparable. Los digitales ya hablan del crimen y de la suspensión del acto de las campanas al que iban a asistir las autoridades. Los de *Vertele*, que publicaron una galería fotográfica de los concursantes, abren con la foto de esa chica. En pocos minutos las redes sociales echarán humo —dijo Arturo Ruiz mostrando la pantalla de su iPhone a quien quisiera verlo.

—Sí, me temo que estamos atrapados en las redes —dijo con una sonrisa de despreocupación Marcos Palazzi, a quien parecía no importarle en exceso el que la cadena que dirigía estuviera en el candelero, aunque fuera para ser criticada—. Veo que no sois nada creativos a estas horas y os necesito frescos para poner en marcha lo que vamos a montar —añadió con aires de incógnita.

Se hizo el silencio en la sala. Palazzi se volvió dándoles la espalda y contempló desde la ventana cómo el jardinero fumigaba los arriates de flores que circundaban la base de las palmeras. El ruido ensordecedor de la máquina que transportaba sobre la carretilla llegaba ahora a la sala amortiguado y lejano, como un leve zumbido, y una nube de productos químicos se dispersaba con el viento hasta desaparecer en el aire.

Los asistentes oyeron el chasquido de su encendedor y vieron cómo ascendía el humo del cigarrillo que el director general había prendido de espaldas a ellos. Este se dio media vuelta y se apoyó con ambas manos sobre la mesa.

—Esta noche haremos un especial de *Esta es tu vida*. Quiero que contemos todo lo que ha pasado con esa chica. Nosotros tenemos el material y la información que ningún medio tiene. Necesito que mandes —se dirigió a Ruiz— una unidad móvil a Alella, que filme la iglesia y que se suba hasta las campanas, que se reproduzca y reconstruya al detalle el crimen, que hablen los del pueblo: el alcalde, el cura, el tabernero... Todo Dios que tenga algo que decir. Montaremos también en el plató un *set* de los informativos. Traed a sus amigos, familiares, a todos...

—Pero eso significaría mezclar los informativos con el *reality*... —protestó Ruiz.

—A mí tampoco me parece una buena idea, es preferible que nosotros lo demos a nuestra manera en el conjunto del programa o perderá fuerza —dijo Víctor Comella.

—A ver si os enteráis: somos noticia. Nuestro programa ha arrancado como jamás hubiéramos previsto. Este crimen va a ser la noticia del mes, del año... ¡Quién sabe! No vamos a dejar de explotar una historia que es nuestra. Abriremos con la cabecera del programa y modificaremos la escaleta en lo que haya que modificarse. Hoy tienen que hablar los compañeros de la pobre víctima y la semana próxima reemprendemos el concurso. —Miró al jefe de publicidad—. ¿Se van a molestar por ello nuestros anunciantes?

—No, no creo. Si les damos la misma audiencia ellos encantados. Les avisaremos en cuanto lo tenga más claro —respondió Pozas

—¿Claro? ¡Está clarísimo! ¡Ya estáis moviendo el culo! Quiero antes de la hora de comer la escaleta del programa. Vosotros poned a trabajar a todos los guionistas conjuntamente con los redactores de los informativos. Estáis los dos al frente. —Señaló con el cigarrillo humeante a sus jefes de informativos y de programas——. Vamos a ver si de una vez por todas sois capaces de trabajar en equipo.

Víctor Comella había renunciado a discutir con su director general y ya estaba maquinando de qué manera podría pactar con el jefe de informativos para arrimar el ascua del programa a su sardina. Sin embargo Palazzi se lo ponía más difícil.

——¡Ya lo tengo! ——exclamó el director——. Quiero que lo conduzcan al alimón esa chica del informativo de las nueve y la presentadora de *Esta es tu vida*, Ágata Blanco. ¿Cómo se llama esa chica tuya, Arturo?… ¡Joder!, es muy buena y da credibilidad.

——¿Leire Castelló? ——murmuró Arturo Ruiz——. No va a querer. Todo esto es una barbaridad.

——Si no quiere la echas y si acepta le pagas un plus ——sentenció Marcos Palazzi, que con un gesto expeditivo con ambas manos les invitó a salir y dio por concluida la reunión.

Capítulo siete

*E*l subinspector Fernando Barreta provenía de la Policía Científica y era un experto en informática. Julián Ortega lo había rescatado hacía cinco años de las tareas administrativas que desempeñaba en la comisaría central de Sabadell. Desde entonces se había convertido en un incondicional del inspector y trabajaba bajo sus órdenes en la comisaría de Les Corts.

En ese momento tenía sobre la mesa de la comisaría un buen puñado de papeles, de donde extrajo los más relevantes para tendérselos a Julián:

—Lucía Ketana era soltera, una hija única que vivía en Alella con su madre hasta que esta falleció, hace cosa de seis meses. Estoy rastreando sus llamadas y correos; si esperamos a que el juez emita una orden a Facebook y Google para que nos pasen los datos podemos tardar una eternidad. Como se nota que no somos la Agencia de Seguridad Nacional de los americanos, que tienen una puerta trasera abierta permanentemente a los servidores de esas empresas…

Julián examinó las fotocopias. Varios perfiles de la víctima aparecían en diferentes redes sociales y profesionales. Barreta había hecho un buen trabajo en apenas dos horas, desde que tuvo conocimiento del homicidio.

Le pesaba la cabeza, y el café amargo y espeso de la máquina dispensadora de la comisaría, lejos de despejarle, le estaba revolviendo el estómago. No hizo comentario alguno, aunque miraba una y otra vez los datos que tenía en sus manos. Barreta esperaba paciente a que los digiriera para continuar contándole lo que había averiguado. Sin embargo, Julián marcó el teléfono del hospital y habló con una enfermera. Le dijo que su madre descansaba y que se encontraba perfectamente. Debía encontrar un momento durante la tarde para pasar a verla. Después marcó el teléfono de Leire pero esta no lo cogió.

—No sabía lo de tu madre, ¿se encuentra bien? —preguntó Barreta.

—Sí, sí, no ha sido nada. Está en observación y mañana ya saldrá… ¿Qué es Afroditha? —Julián reparó en un enlace de una página web que no le resultaba familiar.

—Es una red social de citas, de esas para encontrar pareja. Cuando he indagado en los registros de la víctima he visto que estaba apuntada en esa también.

—¿Podemos acceder a sus chats en Afroditha?

—Imposible sin su contraseña. Son redes con mucha seguridad. Es una empresa de capital ruso, los servidores están en Moscú. Tienen una delegada en Barcelona que se ocupa de tareas comerciales. He llamado y me ha dicho que lo máximo que ella podía hacer es mandar un *e-mail* a los rusos, pero que el resultado sería nulo. Se llama Natasha Vólkova… ¡Ah! Tienen más de dos millones de personas registradas en España y siguen creciendo.

—Ya —Julián exhaló aire—, habrá que hacerle una visita.

—Espera. Hay más. Te dije que Lucía Ketana Castro vivía en Alella con su madre, Francisca Castro Ros, y que esta falleció. Resulta que legó su herencia a la parroquia de Sant Feliu. —Le mostró un recorte de la revista local del pueblo donde aparecía la esquela y un breve artículo al margen—. Con ese dinero se pudieron pagar las nuevas campanas, las mismas donde apareció colgada su hija.

—Vaya, a alguien no le ha gustado que la iglesia tenga sus campanas —dijo irónicamente—, pero podía haberlo demostrado de otra forma menos sangrienta. Antes de venir he pasado por el hospital de Can Ruti: el párroco está medio ido, solo habla de que fue el demonio y no para de rezar en latín. Pobre hombre. Por cierto, ¿qué tipo de apellido es Ketana? ¿Era de padre extranjero?

—No he podido encontrar ese dato. Tampoco nos consta quién era su padre. Parece un apellido africano, pero los rasgos de Lucía son europeos.

—¿Algo más?

—Tenemos lo de la tele: concursaba en el *show*. Ellos deben de tener mucha información, incluso controlan las comunicaciones de los concursantes, según he averiguado. Hay que ver sus ordenadores, pero necesitaremos pedir una orden judicial.

El móvil de Julián vibró en su bolsillo. Leire le había dejado un mensaje: «Estoy en una reunión, te llamo después». Decidió que la vería en la televisión.

—¿Qué sabemos de la llamada anónima a los del programa?

—Estoy en ello, Julián, estoy en ello.

—No quiero apretarte. Has hecho un buen trabajo y yo estoy sin dormir y a medio gas.

Julián percibía que se abrían muchos frentes y le costaba pensar con claridad. Solo le faltó la llamada del comisario, al que había prometido informar cada dos horas y que, cuando apenas habían transcurrido las primeras, ya estaba presionándole para ver qué había averiguado. Le puso al corriente de los hechos: tenían a la víctima identificada y su relación con la parroquia a través de la madre fallecida. Era una concursante de televisión. Nada más, aparte de que Lucía Ketana, como millones de ciudadanos, era usuaria de las redes sociales, que buscaba pareja en ellas y que alguien debía estar lo bastante loco como para torturarla de una forma realmente cruel hasta acabar con su vida.

Capítulo ocho

*E*l arzobispo citó en su despacho al secretario y a tres sacerdotes de confianza que pertenecían a su consejo de gobierno y justicia. Había recibido la llamada de Interior notificándole el luctuoso hecho acontecido en la parroquia de Sant Feliu por el que se anulaba la bendición de las campanas. No perdió tiempo en convocarlos para afrontar la delicada situación que se podía avecinar.

A monseñor Ramos se le notaba inquieto y cariacontecido cuando invitó a sentarse a los tres vicarios y a su secretario. Los cuatro sacerdotes lo hicieron en sendos sillones de piel formando un semicírculo frente al asiento del obispo, que estaba ostensiblemente más elevado y sobre cuyo respaldo había tallada en madera noble la imagen de San Pedro con las llaves del paraíso en una mano.

Les puso en antecedentes de los hechos. Cuando empezó a relatar cómo el párroco había encontrado el cadáver de una mujer desnuda en el campanario de Alella, todos los presentes se santiguaron al unísono.

Monseñor Ibáñez era el secretario y el más joven de los presentes; aunque no había sobrepasado los setenta, su aspecto enfermizo y la gesticulación pausada le conferían una imagen senil, rayana en la decrepitud, que contrastaba con su vasto intelecto y su brío mental.

Tenía una especial capacidad para estar informado de todo cuanto concernía a los asuntos más delicados del clero. Hasta hacía bien poco había conjugado las tareas de la secretaría con la estrategia de comunicación del Obispado, pero su salud se resentía con los viajes y con los preparativos de las consiguientes ruedas de prensa, así que había sido sustituido por Lorenzo Flores, un periodista también sacerdote que había colaborado en la sección de religión de *La Vanguardia* y que no daba un paso sin consultarle.

La confianza del arzobispo Ramos en Ibáñez era absoluta. Sin él se sentía la mayoría de las veces desorientado, sobre todo cuando se trataba de enfrentarse a los medios de comunicación por algún asunto vidrioso de por medio, como el que le relacionó con Mario Medel, el sacerdote pederasta fundador de los Mártires por Cristo. El obispo había visitado la orden en México en alguna ocasión, y cuando una de las hijas que tuvo el pederasta se casó en Barcelona con un joven al que conoció estudiando Humanidades en una universidad dirigida por la orden, se dijo que los recibió y les dio su bendición.

Eso fue lo que publicaron entonces algunos medios de comunicación que tiraron del hilo de las denuncias de varios novicios que habían sufrido abusos sexuales y descubrieron la doble vida del sacerdote Medel, una doble vida que incluía escapadas a Tailandia para participar en bacanales sexuales y unos cuantos hijos en diferentes lugares del mundo.

La información que implicaba al arzobispo resultó ser falsa, pero la foto de monseñor Ramos ya había aparecido en los medios vinculándole con el fundador de la orden y algún articulista ponía en duda su honestidad, comparando el tren de vida del arzobispado con el que se había permitido durante muchos años el prelado mexicano a costa de miles de benefactores a los que estafó hasta ser apartado de la Iglesia por el Papa.

La intervención de Ibáñez ante la prensa fue poco menos que providencial. Consiguió una rectificación de los diarios y que algunos publicaran tribunas y artículos destacados del obispo, que había escrito el mismo secretario, condenando la pederastia sin ambages y destacando las múltiples acciones sociales benefactoras en las que participaba el obispado. Consiguió, incluso, que los buscadores de Internet y los periódicos retiraran de sus páginas web la información publicada y de paso pactó con las empresas de tecnología que destacaran determinadas noticias favorables a Su Eminencia. En el plazo de un mes le concertó varias conferencias en universidades españolas y consiguió acelerar un doctorado honoris causa por la Universidad Católica de Varsovia, que fue cubierto por todos los medios de comunicación.

La imagen del monseñor Carlos Ramos quedó limpia como una patena. El poder de maniobra y convicción de su secretario estaba fuera de toda duda, tanto como la visible mella que aquella brega causó en su ya delicada salud.

El episodio sirvió para reafirmar en toda la diócesis, e incluso en sectores de la política y de los medios de comunicación, lo que ya se venía rumoreando: que el obispo se había convertido en un mero instrumento en manos de Ibáñez, que lo tenía intimidado con supuestas informaciones peligrosas. El caso es que todo el mundo daba por supuesto que no había decisión de calado que no contara con la aquiescencia del secretario del arzobispo, que había tejido una malla de contactos y relaciones a cambio de desconocidas y, posiblemente, oscuras contrapartidas.

—Estamos con Su Eminencia y con los designios del Señor —dijo uno de los vicarios, y los otros dos asintieron con un gesto de la cabeza.

—Bien sabe Dios que quise apartar el pecado de mi diócesis cuando el Señor me encomendó su gobierno. Agradezco vuestro apoyo, porque solo la Iglesia unida puede vencer al reino de las tinieblas cuando invade la vida de los hombres, incluso la de los clérigos. Vivimos momentos de oscuridad. —Se detuvo para hacer memoria y recordar las palabras de Benedicto XVI—. «¡Cuánta suciedad en la Iglesia y entre los que, por su sacerdocio, deberían estar entregados al Redentor! ¡Cuánta soberbia! La traición de los discípulos es el mayor dolor de Jesús. No nos queda más que gritar: Señor, sálvanos.»

En el cielo las nubes adquirían por momentos una negritud que presagiaba tormenta. La luz artificial del despacho del obispo pareció iluminar con mayor decisión la sala en contraste con la oscuridad del exterior. Sonó una música interpretada por un arpa celta bajo los muros de la calle del Obispado, que daba al lado este de la Catedral; era la primera melodía de aquel día en el barrio gótico barcelonés, que empezaba a ser transitado por turistas enfundados en tabardos y chubasqueros.

El sonido de un trueno reverberó en las paredes de piedra del despacho y sirvió de espoleo para que el secretario Ibáñez pusiera el dedo en la llaga y le facilitase al arzobispo recorrer un trecho de penosas explicaciones.

—Déjelo en mis manos, Eminencia. Nada debe preocuparos —dijo monseñor Ibáñez con aplomo—. Yo me ocuparé.

Y añadió en un murmullo, casi para sí, un apenas audible «Como siempre».

Capítulo nueve

El jefe de los servicios informativos puso en antecedentes del suceso a Leire y le explicó la decisión de la dirección general de la cadena de emitir un programa combinando los recursos del *reality* con los del departamento de noticias.

La discusión con su jefe acabó con la claudicación de Leire, aunque no sin resistencia. Arturo Ruiz no precisó recurrir a la amenaza de despido, como le había indicado el director general que hiciera si la periodista se negaba a participar en el programa. Sabía que la sola mención de esa advertencia la predispondría en contra, y tampoco quería animarla con el incentivo económico, puesto que ella podría interpretarlo como que la estaban comprando.

Conociéndola bien como la conocía, el jefe de informativos la llevó al terreno del mal menor: era malo para los servicios informativos que dejaran en manos de la gente de Comella una noticia que era claramente de su competencia; era también lesivo para su imagen y la de todos sus compañeros que ella no diera la cara en el programa, siendo la conductora de informativos que tenía mayor proyección y credibilidad, y era un grave error renunciar a modular la información con criterios periodísticos profesionales, en lugar de los superficiales y vacuos del amarillismo del departamento de programas.

—¿Pero tú crees que tendremos libertad para investigar el suceso sin que nos contaminen los del *reality*?

—Lo tenemos que intentar. Es cierto que ellos tienen la información sobre la víctima, que por otra parte hemos convenido que vamos a compartir. He pactado que nosotros nos ocuparemos de las entrevistas: seleccionaremos aquellas que tengan un verdadero interés informativo, y no las que solo sean puro morbo; conduciremos la investigación según nuestros criterios, definiremos las fuentes más relevantes: la policía, el obispado, las autoridades, etc…

—¿Realmente te van a dejar? —insistió Leire.

—¿No he parado la información que ibas a dar esta mañana?

—Ya, pero eso había que pararlo no solo porque teníamos el cadáver de una concursante, sino por cómo contábamos los datos de audiencia del programa y cómo hablábamos de la búsqueda de la verdad y todas esas chorradas. Era un puro panfleto.

—Deberías salir hacia Alella con una unidad móvil en un par de horas. En diez minutos montaremos una reunión de coordinación con los guionistas del programa y a las diez de la noche entraremos en directo con el especial. Te dejo llevar a los mejores redactores, y si necesitas alguna colaboración especial solo tienes que pedírmela. Palazzi nos da presupuesto.

—Si lo preciso, ¿puedo buscarme algún colaborador? ¿Les vais a pagar?

—Por supuesto. De hecho quería decirte que el departamento, incluida tú misma, vais a tener un plus compensatorio por este trabajo extra.

—¿Me vais a pagar lo que cobra esa Ágata Blanco? Ya sabes, la de *Esta es tu vida*. —Leire hizo una mueca de extrañeza adivinando la respuesta.

—El sueldo de la Blanco es asunto de la productora. No tenemos nada que ver con ello, pero te aseguro que tendrás una paga extra si esto sale como tiene que salir.

—¿Si rompemos todas las audiencias? ¿Es eso?

—Mira, confío en ti. Solo quiero que hagamos un buen trabajo y que nos sintamos orgullosos de contar la historia sin necesidad de cruzar los límites del sensacionalismo. Ágata también tendrá sus instrucciones para que os podáis coordinar.

—¿Coordinar?

—Sí, claro, no te he dado los detalles… Vais a presentar el programa especial juntas.

—¿Juntas? —La cara de la joven parecía un auténtico poema.

—Mira, Leire, es lo que hay. Vamos a hacer el guion, pero creo que lo más sensato es que tú estés en un *set* que montaremos en Alella y que ella lo haga desde el estudio de *Esta es tu vida*.

—Eso te tranquiliza, ¿no? —replicó ella con ironía—. No podré darle un puntapié cuando se recree en la sangre que descendía por las campanas dibujando un escenario dantesco y esas cosas que le gusta decir.

—Eres una profesional y ella también. La cadena confía en que os vais a llevar a la perfección. Ágata lleva años en esto y sabe cómo hay que modular la información. Y no es tan superficial como parece, te lo aseguro.

—Lleva muchos años haciendo concursos y *realities*. Es de una frivolidad que desespera…

—No tanto, no tanto… Eso sí: tú eres más guapa. —Arturo le sonrió y le pasó la mano por su melena rubia.

—¿Qué coño estás diciendo? Mira, Arturo, a mí no me andes con chorradas. A veces te comportas como un cabrón machista. ¡No me jodas! —Leire estaba realmente molesta.

—Lo siento, Leire, lo siento. No quería decir eso. Tú tienes más empatía con la cámara, y por eso con los espectadores… eres más creíble, eso quería decir.

—No vuelvas a hacerlo, ¿vale? —Sintió que era una nueva oportunidad para poner la conveniente distancia con su jefe. Sabía que él la necesitaba y ella estaba dispuesta a dejarse convencer, pero su resistencia hacía que se sintiera algo más aliviada con una situación que le resultaba incómoda. Mezclarse con Ágata Blanco no entraba entre sus aspiraciones profesionales precisamente.

—Ya te he pedido disculpas, venga. No tenemos tiempo que perder.

—Quiero a Toni Checa conmigo.

—Te lo puedes llevar. Ningún problema.

—¿Tendrá una paga extra?

—La tendrá. Sería bueno que asistiera a la reunión de producción contigo. Estarán los guionistas y los redactores del *reality*. Tenemos que compartir la información.

—¿Qué tipo de información tienen?

—Muchos datos sobre la víctima. La selección de los concursantes se ha hecho, entre otras cosas, contando con las redes sociales, se les ha monitorizado su vida entera. Lucía Ketana tiene todo un historial que está rastreado al detalle.

—¡Qué asco me da! —Leire arqueó las cejas y elevó sus manos crispadas al aire.

—Los concursantes firmaron un contrato donde aceptaban sin límites que se podría hurgar en Internet y hasta en sus cuentas corrientes. De hecho facilitaron las contraseñas, que pueden ser usadas por los responsables del programa para acceder desde su *e-mail* hasta sus páginas de Facebook o Twitter.

—Entiendo… Entonces quiero otro colaborador. Alguien que me puede ayudar en la investigación y que conoce cómo se manejan las redes.

—Lo que tú quieras. ¿Quién es?

—Raúl Viedma. Es un periodista especialista en periodismo de datos. Alguien con quien trabajé en Radio Ciudadana y que me ayudó a desentrañar el caso del asesinato del banquero Pérez-Casas.

—Está bien… ¿Qué te parece si vamos a la reunión y luego te montas en la móvil con Checa para viajar hasta Alella?

—Vamos. Dame un minuto.

Leire marcó el teléfono de Julián, pero este no respondió. Estaba conduciendo su moto en dirección a los estudios de televisión en Pueblo Nuevo. Barreta por su parte lo hizo en su coche. Llevaban la orden de registro e incautación de los ordenadores de ADN TV.

Capítulo diez

*J*ulián Ortega y Fernando Barreta se identificaron en la verja de seguridad de las instalaciones de ADN TV y pidieron ver al director general. Un vigilante jurado examinó sus placas y avisó por teléfono a la secretaria de Palazzi; luego pulsó con parsimonia e impericia sus datos en el teclado de un ordenador e imprimió sendas acreditaciones que ambos se llevaron al bolsillo.

Acompañados por otro vigilante, cruzaron cien metros de un jardín extremadamente cuidado en el que solo unas cuantas palmeras mustias deslucían aquel vergel en el que se habían instalado unos pájaros bulliciosos. A Julián le pareció que se habían renovado recientemente los parterres con caléndulas y petunias resistentes al invierno, tal era el desbordante colorido. Percibió, sin embargo, un olor desabrido que le aturdió ligeramente. Quizá habían abonado o sulfatado hacía poco, pensó.

Llegaron a la puerta principal y una secretaria ya estaba esperando para conducirles, a través de unos pasillos estrechos y poco transitados, hasta un ascensor de uso exclusivo de la dirección que daba a la antesala del despacho de Palazzi. Julián notó que la secretaria debía de tener instrucciones para que su visita pasara desapercibida.

—Pueden esperar un minuto aquí —ordenó la mujer, que les acomodó en una salita de espera pequeña en la que había una pantalla de televisión encendida y en silencio—. ¿Puedo ofrecerles un café?

—No, gracias —rechazaron al unísono.

—Dígale al señor Palazzi que tenemos cierta urgencia en verle —dijo Julián, que, al igual que Barreta, no tomó asiento en el sofá de la salita.

—Sí, descuiden. Será un minuto.

Julián vio en el móvil la llamada de Leire y marcó su número. Imaginó que estaría en la redacción, a pocos metros de donde se encontraban. Esta vez ella cogió la llamada. Oyó de fondo unas voces cuando le respondió.

—Hola, cariño. Estoy en medio de una reunión. Espera un momento. —Oyó el taconeo de sus zapatos y a continuación el cierre de una puerta—. Estamos con el tema de Lucía Ketana, no puedo hablar ahora, pero quiero que sepas que vamos a hacer un programa especial esta noche desde Alella. Todo esto es un lío. Voy a presentarlo con la conductora del *reality*. No sé si podré verte. ¿Estás bien?

—Sí, todo bien. Estoy al frente del caso. Ahora mismo estoy en ADN TV, a punto de ver a tu director general. ¿Hay algo que me debas contar?

—Julián, necesito verte, pero tengo una decena de personas que me esperan ahí dentro. ¿Hay alguna novedad en el caso? ¿Te puedo llamar en un rato cuando vaya en la unidad móvil?

—Sí, llámame. ¿Qué sabes de todo esto?

—De momento poca cosa. Solo que la víctima había vivido en Alella con su madre y que aquí tenían controlados todos sus pasos. Tienes que investigar en la productora. Nómada Films es la que tiene toda la información, nos la están pasando a cuentagotas. Pídele al director que te deje entrar en Nómada; por lo que sé está participada por ADN TV y controla las redes sociales y hasta los teléfonos de los concursantes. La separan de la cadena para ahorrarse costes y eso, pero es lo mismo. Oye, no puedo hablar ahora, me están esperando. Un beso.

Leire colgó al tiempo que la secretaria les invitaba con una amplia sonrisa a acompañarles hasta el despacho de Marcos Palazzi.

El director era un hombre de mediana edad. Julián comprobó, al darle la mano que le tendió, que le sacaba al menos diez centímetros a sus ciento ochenta de estatura; vestía con porte un elegante traje azul de Armani y una corbata a rayas grises y blancas de Canali. Todo en él respiraba poderío, incluso su cuidado bigote; la cabeza rasurada y un físico fortachón corroboraban una marcada personalidad que parecía difícil de torcer.

—Bien, inspectores, imagino que han venido por lo de la muerte de la participante en *Esta es tu vida*. ¿En qué les puedo ayudar?

—Tenemos una orden de registro. —Julián exhibió el papel con membrete del juzgado de instrucción.

—Sí, ya veo. Aquí dice que tienen competencia para registrar los equipos informáticos de la cadena y examinar cuantos documentos precisen en relación al programa *Esta es tu vida*. Pero dígame qué busca exactamente y será más sencillo que se lo pueda facilitar.

—Recibieron una llamada anónima avisándoles del crimen.

—Así es. Eso es lo que nos dijeron de la productora.

—Para empezar quiero escuchar la llamada. Supongo que la tienen grabada, ¿no es así?

—Pues creo que no, inspector…

—Ortega, Julián Ortega; él es mi ayudante, Fernando Barreta.

—Me temo que no, inspector Ortega. No grabamos las llamadas. Supongo que el jefe de mantenimiento les puede facilitar un acceso a los datos de la centralita telefónica; por lo que me han dicho la llamada se hizo poco antes de las nueve de la mañana y fue a la productora.

—¿No graban las llamadas? Y sin embargo, parece que controlan las de los participantes en el *show* ese y hasta sus cuentas de Internet.

—Se llama *Esta es tu vida*. Y sí, es una de las condiciones que deben aceptar para entrar. —Marcos Palazzi pareció no inmutarse porque Julián conociese esa información.

—¿Quiere decir que pudieron acceder al móvil de Lucía Ketana, sus correos electrónicos y sus cuentas en las redes sociales?

—Imagino que sí. No estoy en los detalles. Todo está contemplado en los contratos que firman con la productora.

—¿Los concursantes les facilitan las contraseñas de sus cuentas? —inquirió Barreta.

—Ya le digo que no sé cómo lo hacen. Eso es cuestión de la productora, Nómada, a la que hemos contratado. Ellos llevan la mecánica, nosotros ponemos los platós y la señal para emitir el programa, poco más.

—¿Podemos hablar con el responsable de Nómada? —preguntó Julián.

—Imagino que no tendrá inconveniente alguno. Mi secretaria les puede facilitar el teléfono… Y ahora, si me disculpan. —Hizo además de sentarse a su mesa y dar por finalizada la entrevista, que se estaba desarrollando de pie sin que el director general les hubiese invitado a sentarse.

—Un momento, un momento, señor Palazzi. Necesitamos ver los equipos informáticos del programa y tengo un par de preguntas más.

—Siento no poder ayudarles. Los ordenadores pertenecen a la empresa Nómada Films y ustedes tienen una orden de registro para ADN TV. Es otra empresa y tiene otra sede social.

—Es otra empresa de la cual son ustedes propietarios, ¿no es así? De ese modo pagan sueldos menores y eluden responsabilidades directas. —Julián era consciente de que habían cometido un error administrativo con la orden de registro, pero decidió no apearse de sus pretensiones.

—Es cierto que hay accionistas comunes, sin embargo la gestión es independiente. No entraré en sus apreciaciones, que por otra parte me parece que no vienen al caso. Mire, inspector, lamento personalmente lo que ha sucedido con esa pobre chica, aunque me temo que han dirigido mal el foco de su investigación. Nosotros recibimos la llamada de una persona anónima y cumplimos con la obligación de avisar a la policía, pero si quieren indagar sobre el crimen están en el lugar erróneo y con la persona equivocada.

—Me temo que eso me toca decidirlo a mí, señor Palazzi. No me creo que ustedes no dispongan de una copia de los contratos y una conexión al servidor de la productora. Es más, creo que deben utilizar los mismos servidores y equipos informáticos. Ya sabe, cuestión de ahorro de costes. O sea que podemos hacer dos cosas: o usted y su gente nos facilitan lo que hemos venido a buscar o, utilizando mi errónea orden judicial, le lleno esto de policías de la división de delitos informáticos, que cargarán en un par de furgonetas todos sus equipos y hasta los caros cuadros de su despacho. Todo ello sin perjuicio de que el celo de mis compañeros les lleve a dar parte a la brigada de delitos económicos y fiscales, por si de los papeles que se incauten se derivan asuntos de prestamismo laboral o algún delito contra la Hacienda pública… ¿Qué me dice?

Marcos Palazzi se aflojó el nudo de la corbata y con un gesto displicente les invitó a tomar asiento en un ampuloso sofá bajo las pinturas de Antonio López que Julián, amenazante, había puesto en jaque. Sin mediar palabra con los dos policías, hizo una llamada desde su móvil y pidió a alguien que subiera a su despacho; le ordenó que lo hiciese acompañado del abogado de la cadena con una copia de los contratos.

Cuando colgó les fulminó con la mirada, deseoso de que desaparecieran súbitamente de su vista, pero al momento el cómico tic de su bigote le jugó una mala pasada y malogró la imagen de dureza que pretendía sostener.

—Les daré la información. He pedido que suba el director de la productora. Casualmente hoy está aquí preparando el programa de esta noche con mi equipo, y el responsable de la asesoría jurídica les facilitará los contratos.

—Necesito ver el ordenador desde donde controlan la red de Internet de Lucía Ketana —dijo secamente Barreta.

—Lo verá. Le acompañarán hasta la sala de informática. Como usted dice —miró a Julián—, trabajamos en línea con la productora.

—Bien, eso está mejor —terció Julián—. ¿Van a emitir el programa esta noche?

Marcos Palazzi vaciló al contestar.

—Es algo que estamos pensando todavía. No hay nada decidido. ¿No tendrán inconveniente, verdad?

—No le veo problema alguno. Me imagino que a la gente no le da igual que haya muerto una concursante, pero eso es cosa suya. Por otra parte, es pronto para determinar si quien cometió el crimen lo hizo por algo que vio en el programa anterior. Me gustaría tener una grabación íntegra del *reality*... ¿Es así como llaman a ese tipo de espacios?

—Puede llamarlo así, inspector. La gente estará deseando conocer de primera mano qué ha pasado con Lucía Ketana, y en cuanto al primer programa lo tiene usted colgado en nuestra página web si desea verlo.

—Me gustaría ver una copia íntegra del original, si no le importa. —Julián no quería exponerse a una versión adulterada o a que la imagen y la voz no tuvieran la sincronización adecuada. Además, sabía de la obligación legal que la cadena tenía de conservar lo que se llamaba una copia judicial de sus emisiones al menos seis meses, ante posibles reclamaciones de terceros.

—Pediré una copia ahora mismo. —Palazzi, llamó a su secretaria y le hizo el encargo—. No me digan que no lo vieron. Son de los pocos que no estuvieron delante del televisor esa noche —añadió fingiendo incredulidad.

—No veo televisión. No se moleste, ni la suya ni la de otro canal. Me han dicho que fue un éxito de audiencia.

—La mitad del país se concentró frente a la televisión para ver *Esta es tu vida*. Si el asesino de Lucía fue uno de esos espectadores será difícil estrechar el círculo, ¿no cree?

Julián no respondió a lo que le pareció una simpleza. Buscar a un asesino solía depender de muchos elementos resultantes de las circunstancias que rodeaban a la víctima y de la impronta que dejaba el criminal, pero era lo mismo buscarlo en Bombay que en una pequeña población.

—Una cosa más —dijo Julián pensativo.

—¿Qué, inspector? —respondió Palazzi, con un deje de cansancio en su tono.

—Quisiera ver el estudio donde se grabó el programa en el que participó Lucía Ketana.

—Eso es fácil. No sé si le ayudará en algo, porque prácticamente todo el decorado se ha cambiado. No creo que se mantenga ni un veinte por ciento del *atrezzo* que se utilizó. Es algo consustancial a este *show*.

—De todas formas le echaré un vistazo, si no tiene inconveniente.

Llamaron a la puerta de Palazzi y apareció un joven alto y orondo con el pelo engominado que vestía una extremada camisa a rayas blancas y rojas con el cuello blanco, que le caía por encima de unos tejanos azules disimulando su temprana barriga. Llevaba unas gafas minúsculas de montura roja y escrutó por encima de ellas en el interior del despacho desde el quicio de la puerta a medio abrir.

Palazzi le invitó a pasar y junto a él lo hizo un hombre menudo con ojos achispados que llevaba una carpeta archivadora de cartón bajo el brazo.

—Les presento a Juan Mejías y a Rodolfo Neira. —Y señaló por orden de aparición al de la camisa extremada y al diminuto personaje—. Juan es el director de Nómada Films y Rodolfo es nuestro asesor jurídico. —Y dirigiéndose a sus colaboradores añadió—: Son los inspectores de policía que están al frente del caso del crimen de Lucía Ketana. Les vamos a facilitar la información que precisen. Tienen una orden judicial para registrar nuestros ordenadores y contratos —aclaró Palazzi.

—Encantado, mucho gusto —dijo el abogado Neira con una sonrisa nerviosa. Mejías miró extrañado a su director general y no dijo nada. Julián notó que ambos no estaban precisamente entusiasmados con su presencia.

—Le he dicho al señor Palazzi que queremos una copia de los contratos que firman sus participantes. Tengo entendido que son tan amplios que pueden acceder a su intimidad sin restricciones.

—Bueno, debe saber que no es exactamente así: el derecho al honor, la intimidad y la propia imagen está contemplado en la Constitución y regulado por la Ley Orgánica de 1982, y este derecho es irrenunciable, inalienable e imprescriptible...

Marcos Palazzi interrumpió a su abogado.

—Lo que quiere decir nuestro abogado es que tenemos unos contratos de imagen que especifican con detalle todos y cada uno de los ámbitos de intimidad a los que podemos acceder. Los que están fuera de ese ámbito son irrenunciables.

—Me imagino que los ámbitos, como usted dice, deben ser muy extensos y bien compensados económicamente.

—Son los que han aceptado libremente los concursantes. Y sí, se les paga una cantidad que no recuerdo. Lo verá en los contratos. Muéstraselos, Rodolfo.

Rodolfo Neira, que seguía de pie frente al sofá, abrió una carpeta de anillas y extrajo uno de los documentos.

—Este es el de Lucía Ketana. Verá que es muy prolijo, pero detrás tiene una hoja resumen para los pagos de administración —dijo Neira extendiéndole el documento a Julián.

Este le echó una ojeada.

—Aquí dice que facilitará sus claves de usuario y contraseña a la productora del programa a cambio de tres mil euros y se enumera una larga lista de redes sociales y cuentas de correo electrónico a las que ustedes pueden acceder. —Le mostró a Barreta el contrato y este lo examinó leyéndolo en diagonal—. Pagaron muy barato el acceso a la vida íntima de Lucía Ketana, ¿no creen?

—Pagamos lo que convinimos con ella —dijo con brusquedad Palazzi—. Oiga, inspector, no le hemos puesto la pistola en el pecho a nadie para que firme esto. Es un contrato legal. Además, concursan por un premio final de cien mil euros y tienen una cantidad adicional de cinco mil euros por dejarnos entrevistar a sus familiares y amigos. Ellos firman también una autorización para que podamos emitir sus opiniones grabadas o en directo. Todos los que aparecen en el programa cobran en mayor o menor cantidad.

Julián reparó en que Palazzi estaba perfectamente al corriente de la mecánica del programa, cuando poco antes parecía desconocerla.

—Sí, ya veo que lo tienen todo atado. Eso significa que cualquiera de los que tienen acceso a sus claves y contraseñas pudo alterar la información de la víctima. Ustedes mismos lo pudieron hacer, ¿no es así? —Julián no escondió una mirada acusatoria.

El corpulento y rojiblanco Mejías hizo una mueca de fastidio y habló con una voz aguda y quebrada que a Julián no le cuadró con su fuerte complexión; parecía como si estuviera recuperándose de una afonía.

—El equipo que accede a esos datos solo lo hace para documentarse sobre la vida de nuestros concursantes. En ningún momento están autorizados a introducir ninguna información en las redes sociales de las que los participantes en el programa son usuarios. Eso sería una suplantación de personalidad. Todo lo que hacemos es lícito, inspector, y está bajo mi control.

—Cuénteme desde el principio cómo sucedieron los hechos… Desde la llamada anónima.

—Sobre las 8.35 de esta mañana la secretaria de producción recibió una llamada de una persona que no se identificó. Tenía, según nos dijo María, la voz distorsionada, y no alcanzó a saber si era un hombre o una mujer. Le dijo que Lucía Ketana estaba colgada de las campanas de la iglesia de Alella y que no volvería a abrir los ojos jamás. Llamé inmediatamente al móvil de Lucía y no me lo cogió; luego, viendo que posiblemente no se trataba de una broma, llamé a Víctor Comella, el jefe de programas, y este avisó al de informativos. Ambos decidieron que se lo debían comunicar a nuestro director general y les llamaron a ustedes. Eso es todo.

—¿En qué consistió el primer programa?

—Nos basamos en las relaciones amorosas de los diez concursantes. Tenían que contarnos cuántas parejas habían tenido, qué tipo de relaciones sexuales habían practicado y con quiénes, si habían sido infieles y con quién, ese tipo de cosas... Nosotros conocíamos gran parte de su historial amoroso, por no decir todo. Sabíamos si nos mentían o no. Pero el juego más interesante era lo que ellos iban a descubrir en el programa: teníamos las pruebas grabadas de sus contrarios y de las infidelidades que estos habían cometido con ellos. Les abríamos los ojos para que se dieran cuenta de que su vida amorosa no era tal y como la habían vivido. Las reacciones de los concursantes ante estos descubrimientos se dieron en directo. En esa franja horaria tuvimos picos de audiencia extraordinarios.

—¿El programa se emite en directo? —preguntó Julián con naturalidad, disimulando que le revolvía el estómago lo que aquel gordinflón le estaba contando orgulloso.

—Efectivamente, salvo algunas piezas grabadas de las parejas y amantes que aparecieron en pantalla.

—¿Y en este cúmulo de... —Julián no encontraba la palabra adecuada para describir aquel programa— de revelaciones y confesiones, ¿quién es el concursante que gana?

—Gana quien ha llevado un fraude de vida, quien ha sido engañado en más ocasiones. El público vota durante toda la semana por teléfono a su candidato más iluso y cándido. Digamos que los espectadores deben simpatizar con los más ingenuos. Un jurado en el estudio vota bajo ese criterio y su nota promedia con la del público. Quedan eliminados la mitad. Los que pasan a la segunda fase se enfrentarán al mismo procedimiento, pero en su vida profesional, familiar, amigos... En fin, hasta que quede uno solo de ellos: aquel que ha tenido una vida irreal en la que todo a su alrededor ha sido pura farsa, y él o ella no se ha dado cuenta hasta que le hemos abierto los ojos y le hemos dicho: «Esta es tu vida» de verdad.

—¿Lucía Ketana iba a pasar a esa segunda fase o su vida era tan real como ella creía haberla vivido?

—Lucía era una chica muy guapa, pero algo retraída y tímida. Era la típica concursante que desde un principio vimos que no nos daría el juego adecuado en el programa. Nos pareció que era la única que no había venido al *show* por dinero. No sé, ahora que lo pienso, creo que tenía verdadero interés en descubrir algo especial de su vida. Como si quisiera que el programa le revelara algo que ella desconocía.

—Y según me ha contado, eso es a lo que se exponen todos sus concursantes…

—Sí y no. —Mejías miró a Palazzi buscando su aquiescencia, pero este desvió la mirada. Julián notó el lenguaje gestual entre ambos e insistió.

—Explíquese.

—Bueno, esto es un *show*. Los participantes pueden estar de acuerdo con su entorno y aparentar que han sido engañados cuando conocen perfectamente cómo y quiénes lo han hecho. A nosotros nos importa relativamente. Lo importante es que el espectador se crea la controversia que se produce entre marido, mujer y amantes… Es un ejemplo. Ya me entiende. Esto es televisión.

—¿Está diciendo que fingen ante las cámaras?

—Algunos supongo que sí. La mayoría…

—¿Y Lucía?

—Pues no fuimos capaces de sacar mucho en claro con ella: Lucía era soltera, tenía treinta y ocho años y vivía en un apartamento en el barrio de Gracia de Barcelona, donde se trasladó tras la muerte de su madre… Esta legó todos sus bienes a la parroquia de Alella y ella tuvo que dejar la casa familiar en el pueblo. Parece que Lucía prefirió mudarse a Barcelona, ya sabe: más vida en las calles, mejores posibilidades de ocio… O quizá simplemente fueron ganas de cambiar de aires, quién sabe. La cuestión es que trabajaba en Alella, era profesora de filosofía y llevaba un día a día muy normal. Su vida amorosa se circunscribía a algunos chats en una red social de parejas. No fuimos capaces de encontrarle una relación estable. La gente que entrevistamos nos decía que estaba muy unida a su madre y que se las veía salir siempre juntas. Iban a misa y eso… No entendieron cómo a su muerte la dejó sin herencia. Parece que la madre era una beatona, pero vamos… Una vida aburrida para la televisión.

—¿No encontraron nada? ¿Y cómo es que la seleccionaron para su programa?

—Por dos razones: una, porque así la gente entiende la mecánica del programa. Nadie debe votar a personas que no muestren un perfil controvertido, como era el caso de Lucía; y dos, porque nos dijo algo en las entrevistas previas que nos descolocó y que nos dio pie para investigar...

—¿Qué es lo que les sorprendió?

—Dijo que era virgen, que no se había estrenado con ningún hombre. Supongo que en los contactos que hizo en la red Afroditha, donde estaba inscrita, no había pasado del chateo con sus parejas virtuales. Localizamos a uno de ellos, el único que contestó a la dirección de *e-mail* que tenía en su perfil, pero no quiso entrar en el programa. Nos dijo que sí se habían visto en una ocasión y que no quería saber nada de ella, que estaba loca y que casi le...

—Continúe. —Mejías se había detenido en su explicación y volvió a mirar al director general, que a esas alturas de la conversación ya ponía directamente cara de hastío.

—Dijo que casi le rompe los huevos haciéndole una felación en su coche. Eso dijo exactamente en su correo. El hombre no se presentó finalmente al programa. No llegó a venir al estudio, imagino que le pudieron los focos y el ambiente. Para nosotros era una contradicción de la concursante, suficiente para hurgar en su vida amorosa, pero no pudimos enfrentarla a él.

—¿Cómo se llama ese hombre?

—No recuerdo ahora. Sus datos estarán en producción.

—Creo que ya va siendo hora de que veamos esos ordenadores desde donde controlan a sus concursantes. —Julián miró a Barreta y ambos se levantaron del sofá. Palazzi y el abogado esbozaron un gesto de protesta, pero los dos policías ya estaban en la puerta.

Al salir, acompañados por el director de Nómada Films, la secretaria le entregó un sobre cerrado a Julián con la inscripción: «Máster de la primera entrega: *Esta es tu vida*».

Capítulo once

*J*ulián bajó hasta el plató de *Esta es tu vida* acompañado de Juan Mejías, mientras el abogado conducía a Barreta hasta la sala de ordenadores de producción y a la centralita donde quería examinar el registro de llamadas.

Pasó por delante de los servicios informativos de la cadena. Tras las cristaleras vio a Leire sentada a una mesa ovalada con varias personas a su alrededor. Parecía estar discutiendo acaloradamente con una de ellas y su interlocutor negaba con la cabeza mesándose los cabellos en un gesto de impaciencia. Se detuvo unos segundos para contemplarla. La vehemencia que exhibía le hizo sonreír.

—Es el departamento de noticias —aclaró Mejías—. El plató está a solo unos metros de aquí.

En ese instante Leire dejó de hablar y volvió la vista en dirección a Julián. No pudo evitar la reacción de sorpresa, que fue observada por algunos de los reunidos y por el propio Mejías.

—¿Se conocen? —quiso saber el director de la productora.

—Creo que nos hemos visto en alguna ocasión. Se parece a una reportera de sucesos con la que hemos tratado en comisaría alguna vez —disimuló Julián.

—Sí, claro. Es Leire Castelló, la presentadora del informativo de las nueve. Durante mucho tiempo estuvo llevando sucesos.

—Bien, vamos a ver ese estudio—apremió el policía buscando cambiar de tema.

Siguieron andando por el amplio pasillo. A Julián no le interesaba que los asociaran, máxime cuando sabía que ella iba a participar en la investigación periodística del crimen de Lucía Ketana, así que dejó a la periodista con una expresión incrédula en la cara. Pensó que sabría interpretar el que no le dijera nada. Además, habían quedado en que le llamaría cuando fuese hacia Alella en la unidad móvil.

Mejías abrió una especie de puerta blindada que Julián supuso tendría ese grosor para preservar la estancia de los ruidos del exterior. Sobre ella había un piloto rojo encendido. Entró en un espacio oscuro y un joven con cascos en la cabeza y una libreta con apuntes en la mano les pidió que hablaran en voz baja.

—Están grabando una parte de la emisión de esta noche —dijo Mejías—. Sígame, inspector, pero no hable en voz alta ni haga ruido, por favor. Y ponga en silencio su móvil. O mejor apáguelo, para que no haya interferencias.

Corrió unas gigantescas cortinas y la luz del interior del plató le cegó los ojos y le hizo tropezar con unos cables tendidos en el suelo.

—Vaya con cuidado —le advirtió Mejías—. Mire, esa es Ágata Blanco, la presentadora de *Esta es tu vida*. —Señaló al centro del plató y le pidió al joven de los auriculares que le dejara ver la libreta para comprobar la secuencia que estaban grabando—. Está entrevistando a la mujer de uno de los concursantes.

Julián observó bajo los focos a una mujer con melena negra embutida en un vestido amarillo chillón que se ceñía como un guante a su voluptuoso cuerpo y le dejaba al descubierto unos muslos firmes y bronceados. Le pareció que los colores de aquel escenario eran excesivos, como en una película de dibujos animados, irreal y fantasiosa.

Pasaron a pocos metros de la presentadora y de su entrevistada bordeando la espalda de los cámaras, tras los cuales todo eran penumbra y cables, con decenas de ellos pegados al suelo con cinta aislante. Julián se fijó en los monitores donde aparecía encuadrada la imagen que veía por la noche el espectador, una imagen que disimulaba el entorno de trebejos y chismes a su alrededor. Le pareció que el objetivo era engañoso. Solo en la televisión, además de en el cine, se podía seleccionar el paisaje que aparecería a los ojos del público con la armonía y la naturalidad adecuadas. Todo debía ser bello y consustancial, y para ello se requería de aquella planificada artificialidad.

La sonrisa de Ágata Blanco se apagó con el grito del realizador, cuando este pidió que se cortara la entrevista para repasar el maquillaje a la presentadora. Fueron solo unos segundos tras los cuales de nuevo, a la voz de «prevenidos… Tres, dos, uno… ¡Grabando!», ella volvió a su compostura risueña, idéntica a la que había impostado antes de la interrupción.

—¿No me dijo que se emitía en directo? —preguntó Julián en un susurro.

—Le dije que hay algunas piezas grabadas, pero el resto es riguroso directo.

El policía recorrió con la vista las renegridas paredes y recovecos que limitaban con la escena iluminada, como si buscara en ellos algo oculto y desconocido, omitiendo fijarse en el centro de aquel escenario que Palazzi le había comentado que había cambiado su decorado. Lo que permanecía era la trastienda, las bambalinas entre las que se tejía el entramado que aparecía como una realidad engañosa. Pero, ¿qué buscaba exactamente en aquel lugar donde Lucía Ketana habría estado esperando para aparecer bajo los focos del escenario?

—¿Aquí esperan los concursantes a entrar en directo?

—Sí, en esta zona. Les acompaña una azafata desde la salita de maquillaje hasta aquí.

—¡Mmhh! Y el regidor les da paso. ¿Aquella cámara les sigue desde la zona oscura? —Señaló una cámara montada sobre una grúa que se desplazaba desde las alturas oteando los rincones como una serpiente enroscada en un árbol que buscara su presa.

—Eso es.

—¿Entonces el supuesto ligue que tuvo Lucía, de haberse personado, habría esperado en esta zona oscura?

—Sí, fue una faena. Debería de estar justo donde está usted. El regidor le haría una señal para que pasara en el momento en que Ágata le dijera a Lucía que alguien iba a tirar por tierra su versión de niña virgen y apocada. Pero el individuo no apareció. Se cagó ante el careo.

Julián miro de soslayo a su interlocutor ante lo coloquial de sus palabras y prosiguió sus preguntas.

—¿Y cómo lo solventaron?

—Ágata tiene tablas. El realizador le dijo por el pinganillo que no habría confrontación y que diera paso a publicidad. A la vuelta de los anuncios se explicó lo que había sucedido.

—¿Lucía estaba sentada en el mismo lugar donde está la mujer que está entrevistando la presentadora?

—Sí, en el mismo lugar. Ese set no ha cambiado.

—Ajá. ¿Y había más gente en esta zona?

—Sí. Estaba el siguiente concursante que debía entrar tras Lucía.

—¿Cómo se llama ese supuesto amante de la víctima?

Mejías hizo una señal a una joven de pelo corto que vestía una camiseta raída y rotulada con las cerezas gigantes de la discoteca Pachá. Esta se aproximó y se quitó los auriculares de las orejas manteniendo el micrófono inalámbrico que tenía pegado a su cara.

—Lorena, ¿puedes decirme el nombre del individuo que tenía que salir a plató con Lucía Ketana?

La ayudante de producción sacó una pequeña linterna e iluminó las hojas que tenía sujetas con un clip a una tablilla de madera. Repasó varias y se encogió de hombros.

—Resulta curioso. No tengo sus datos. Solo un nombre: Juan Martínez Fernández. —Lorena puso cara de extrañeza.

—Unos apellidos nada comunes, ¿no le parece? —dijo Julián con ironía.

—Oiga, yo no le vi…, señor…

—Es el inspector Ortega, Lorena —aclaró Mejías.

—Había media docena de personas aquí y ninguna respondió al nombre de Juan Martínez. No sabe la bronca que me gané del realizador. Siento no poder ayudarle más. Tengo que volver a mi trabajo, la entrevista está acabando.

De pronto los focos bajaron de intensidad y Ágata Blanco se deshizo del micrófono inalámbrico que estaba escondido en su escote. Caminó con paso decidido contoneando el pecho y las caderas, presos bajo su limonado vestido. Se topó de frente con Mejías y Julián.

—Hola, Juan, ¿no me presentas a tu amigo? —dijo sin esconder la mirada inquisitiva que lanzó sobre el inspector.

A Julián le pareció que aquella mujer se había puesto de todo en su cuerpo, desde bótox a silicona, aunque lo cierto es que se veía muy atractiva y sensual. No fue capaz de adivinar su edad, pero pensó que estaría cercana a los cincuenta. En cuanto entró en la zona oscura, el amarillo del vestido adquirió una tonalidad menos chillona y hasta sus labios carnosos y rojizos aparecieron más sobrios y naturales.

—Es el inspector Julián Ortega. Está al frente del caso de Lucía Ketana.

—Uy, pobre chiquilla. ¿Quién pudo ser el animal que le hizo eso?

—No lo sabemos, pero lo descubriremos. No tenga duda.

—Claro que sí, inspector. ¿Me estaba preguntando si no tendría inconveniente en participar esta noche en nuestro programa? Yo, personalmente, le haría una entrevista y usted nos pondría al tanto de lo que ha descubierto. ¿Qué le parece? —Ágata Blanco le hizo un guiño y se acercó a Julián, que percibió un perfume almibarado e intenso.

—Lo siento, eso no va a poder ser…

—Ya sé, ya sé, la investigación es secreta y todo eso, pero podemos pactar los términos de la entrevista sin que nadie salga herido. —Hizo un mohín con los labios poniéndolos en pico.

—De verdad que no puedo complacerla.

—Soy fácil de conformar, inspector. Debería aceptarme un café por lo menos y luego usted decide si hay o no hay entrevista. Yo le podría contar algunos detalles sobre Lucía Ketana… Al fin y al cabo la tuve al lado durante un buen rato.

—¿Qué sabe de ella?

—¿Tomamos un café? Quisiera quitarme estos zapatos, me están matando… Deme diez minutos y le veo en mi camerino.

Ágata Blanco desapareció sin que a Julián le diera tiempo a contestar. Su vista se fue tras el insinuante trasero de la presentadora, que adivinó liberado por un minúsculo tanga.

Julián llamó varias veces a la puerta del camerino de Ágata Blanco, que estaba rotulada con su nombre y se hallaba a pocos metros de los vestuarios femeninos. No hubo respuesta, pero oyó cómo desde el interior alguien descorría el pestillo y hacía girar el pomo de la cerradura. Ágata entreabrió la puerta y al verle le invitó a pasar.

Vestía una bata de seda que llevaba desabotonada y que dejaba buena parte de su cuerpo al descubierto. No llevaba sujetador y sus grandes pechos se siluetearon cuando cruzó los brazos para intentar cubrírselos. Las piernas aparecían desnudas desde las ingles.

—Volveré en otro momento —dijo Julián algo azorado.

—No, entre, entre. He decidido quitarme el vestido. Hasta dentro de dos horas no tengo que grabar. Siéntese, inspector. —Le señaló un pequeño sofá y ella se acomodó frente a él con las piernas cruzadas. Julián, casi sin quererlo, trató de adivinar con la mirada si llevaba el tanga puesto o estaba sentada frente a él sin nada sobre su sexo. Y se sintió incómodo. Aquella mujer le impresionaba por su desparpajo, pero también por su voluptuosa figura y por la forma sutilmente insinuante con que se dirigía a él. De nuevo el perfume almibarado le llegaba con fuerza cada vez que ella gesticulaba con los brazos o las piernas. Al final, ella se anudó la bata por la cintura y el efecto fue que sus senos quedaron prácticamente fuera de ella. De repente, a Julián le pareció que la temperatura del camerino subía unas cuantos grados, a pesar de que estaban en pleno noviembre.

—Señorita Blanco, ¿qué es lo que quería contarme acerca de Lucía?

—¡Uy, señorita Blanco! Será mejor que me llame Ágata, inspector. Mire, yo tengo un sexto sentido. Ya sé que para muchos soy solo una periodista especializada en carroña, en sacar provecho de las miserias humanas y en remover la basura que otros fabrican. Sé lo que piensan, y posiblemente usted también lo piense. Me da igual. La gente me sigue, eso es lo que cuenta en este negocio. —El rostro de la presentadora pareció adquirir una expresión más seria, y su mirada se endureció ligeramente, como si recordara un tiempo que ya quedó muy atrás—. Yo empecé muy joven, denunciando en mis reportajes la explotación de los niños en países del Tercer Mundo, críos que trabajaban sin descanso en la confección de ropa o en la extracción de oro en las minas… Y todos acabamos comprando en los grandes almacenes sus vestidos y sus anillos de comunión.

Todo es hipocresía, pero quizá la que yo practico hace menos daño. Es muy fácil acabar conmigo. Basta con apretar un botón, y yo desaparezco con todo mi carro de mierda, ¿no le parece?

Julián no sabía qué decir. Él hacía tiempo que había apretado ese botón.

—Ágata, yo no veo su programa. De hecho no veo televisión. Está usted hablando con la mitad del país que no sabía hasta hace poco que existía *Esta es tu vida*. No me siento condicionado por lo que usted haga y no debe justificarse por ello. No he venido aquí a juzgar a nadie, para nada. Yo busco a criminales, y posiblemente también me mueva entre el estiércol para encontrarlos. Solo quiero saber quién era Lucía Ketana y por qué la mataron. ¿Puede ayudarme?

—Disculpe, inspector. Siento haberle dado la vara. Suelo hablar unos minutos antes con la gente que voy a entrevistar. Es cierto que tengo un guion y que en producción me facilitan sus datos biográficos y me sugieren las preguntas y hasta sus puntos débiles para hurgar en ellos, pero dos minutos con un personaje ya me dan la pauta de cómo irá una entrevista.

—Supongo que son años de experiencia. La televisión debe imponer, y usted sabe cómo sacarles partido.

—Seguramente como usted, inspector. Imagino que sus interrogatorios también siguen un patrón y los ajusta en función del testigo o del delincuente que tiene delante. A lo mejor es psicología barata, pero funciona. Yo me fijo en los ojos, en la boca, en sus manos, en aquellas partes del cuerpo que movemos de forma diferente cuando mentimos, cuando estamos en peligro o sentimos bienestar.

Julián no deseaba entrar en un debate psicológico. Había venido a buscar información y no a tomar clases de comportamiento humano, así que insistió.

—Hábleme de Lucía. Por favor.

—¿Ve?, usted, por ejemplo: parece una persona calmada y sin embargo es impaciente. No ha dejado de mover sus ojos y se ha acariciado la barbilla en dos ocasiones. —Julián iba a protestar cuando Ágata prosiguió—. Lucía vino al programa a buscar a alguien.

—¿A quién? ¿Y por qué?

—No tenían base en producción para que nos diera juego en el capítulo de las infidelidades. Utilizó el programa para encontrar a alguien. Quería que la vieran en máxima audiencia. Nos utilizó, ¿entiende? Lo que no sabía es que al que buscaba probablemente era a su propio asesino.

—¿Cree usted que Lucía fue asesinada porque alguien a quien buscaba la vio en televisión? ¿Y el supuesto amante —Julián consultó su libreta—, ese tal Juan Martínez Fernández que no llegó a entrar en plató?

—A ese no llegué a verle. Pero si de verdad llegó hasta aquí y no entró en el plató, no creo que viniera a decir la verdad. Debía de ser un friki de esos que se apunta a un bombardeo. No descartaría que hasta fuese un montaje de la productora, porque Lucía no daba la talla para el *show* y su falta de carisma televisivo y de miserias que descubrir podía afectar el nivel de audiencia del programa. Además, con ese nombre tan común, Juan Martínez..., ¿no le parece sospechoso? A veces los guionistas se estrujan poco las neuronas. ¿Le dijeron que Lucía sostenía que era virgen?

Julián obvió responder. Tanta manipulación y tanta vileza en busca de rentabilidad y negocio le indignaban una y otra vez, a pesar de que ya sabía de qué pie calzaba aquella gente.

—Si fuera un montaje usted lo sabría.

—¿O no? Si los guionistas quisieron pillarme por sorpresa porque creyeron que eso gustaría a la audiencia... Esto de la tele es más enrevesado de lo que parece.

—Desde luego... ¿Y qué le dijo Lucía antes de entrar al plató?

—Yo le dije que no me tragaba que fuera virgen, pero que si quería jugar a eso yo se lo desmontaría en la entrevista. Ella no se inmutó. Me dijo que «el divino» la mantenía pura y que debía creerla. Su vida la consagraba a Dios. No era un mal comienzo, sabiendo que teníamos a uno que iba a decir que le había chupado la polla, aunque fuese mentira. No le dije nada de ese testimonio. Insistí en que si se exponía a eso saldría mal parada. Recuerdo que le dije también que pensara en su familia y amigos. Me dijo que su madre estaba muerta y que su padre la entendería. No tenía amigos, dijo. Era fría y estaba convencida de sí misma. Había algo monjil en ella, es cierto, pero en producción habían leído sus chats en la red de Afroditha y, según me dijeron, eso desmentía su postura mística.

—¿El chat que mantenía con Juan Martínez?

—El de él y el de varios más. Yo no los vi. Me dijeron los de producción que andaba buscando sexo, y no una pareja estable. A mí me trataba de convencer de todo lo contrario. Supongo que cuando los lea se formará su propia opinión.

—¿Cuál es la suya?

—Que Lucía no tenía el perfil para estar jugueteando con mensajitos sexuales. No sé si era virgen, pero no debía de ser muy experimentada. Me pareció traumatizada por algo y no conseguí sacárselo.

—¿Está segura de eso?

—Créame, llevo muchos años sacando secretos íntimos a la luz, sé de lo que hablo.

—A lo mejor vino al programa solo por dinero. Tengo entendido que se llevaba una cantidad importante, ¿no cree?

—No lo sé, no sé qué pensar. Sí que me habló de que quería hacer un viaje. Un largo viaje.

—¿A dónde?

—Me habló de México. Sí, creo que me dijo que quería ir a Guadalajara, en México.

—Bien, le agradezco su ayuda. Si se le ocurre algo más, llámeme. —Le alargó una tarjeta.

—¿Y el café? —Ágata Blanco cruzó las piernas y la bata se desparramó por los costados dejando a la vista su sexo rasurado.

Julián desvió la vista, algo incómodo. Ambos se levantaron y ella le siguió hasta la puerta, que estaba cerrada con llave.

—¿Seguro que no vas a concederme una entrevista

esta noche? ¿No vas a cambiar de opinión? —Su tono era de repente meloso, acariciante.

A Julián no le dio tiempo a contestar. La bata de seda se abrió y resbaló por la espalda hasta caer en el suelo, a los pies de la mujer. Él estaba de espaldas contra la puerta y ella se apretó contra el hombre, pegando su cuerpo desnudo al de Julián, que lo sintió caliente y tembloroso. Ágata puso ambas manos sobre los hombros de él y frotó suavemente sus pechos henchidos contra el torso de Julián, al tiempo que oprimía su sexo contra la bragueta del pantalón. Los labios carnosos de Ágata buscaron los del hombre.

Julián estaba desconcertado y a la vez excitado, era difícil resistir semejante embate de una hembra así, pero buscaba la manera de zafarse. No hizo falta que la rechazara, porque alguien llamó a la puerta preguntando por ella.

Ágata esbozó una sonrisa de complicidad y se echó la bata encima en segundos. Abrió la puerta para franquear el paso al jefe de programas Víctor Comella, que estaba en el descansillo, y dejó salir a Julián.

—Descuide, inspector. Le llamaré lo antes posible —dijo en voz alta con una sonrisa de oreja a oreja.

Capítulo doce

*L*eire subió al camión de ADN TV. La moderna unidad móvil, que disponía de ocho cámaras y una capacidad de cableado para catorce, transportaba el panel de control, los monitores, un generador de caracteres para rotular los planos y todos los elementos de sincronización necesarios para la correcta transmisión del sonido y la imagen. En la cabina, con espacio para siete personas, iban Toni Checa, el redactor que le había pedido a su jefe, un realizador, dos especialistas en sonido y uno en iluminación que, junto con el chófer, componían la expedición.

En otros coches llegaría el resto del equipo, una veintena de personas que les auxiliarían en infinidad de tareas, desde acordonar las calles, si fuera necesario, hasta proporcionar el *catering* del equipo. Maquilladora, peluquera y estilista con un armario ropero completo vendrían en una furgoneta aparte. Los cámaras ya estarían en Alella grabando localizaciones con parte del equipo de producción.

La periodista llamó un par de veces a Julián, pero saltó el buzón de voz y no le dejó ningún mensaje.

Toni Checa estaba observándola, nervioso por aquel operativo. Era un buen redactor para hacer el trabajo de campo que se requería. Leire tenía pensado entrevistar al alcalde y a alguien que estuviera al frente de la parroquia de Alella. En producción de informativos intentarían conseguir una declaración del arzobispo y confiaba en que Julián le pudiese comentar algo acerca de los avances de la investigación policial. Checa se ocuparía de seleccionar a los vecinos que pudieran aportar algo acerca de la vida de Lucía Ketana.

La primera conexión de alcance la tenían que hacer desde Alella en el informativo de las tres de la tarde, por lo que apenas dispondrían de dos horas para prepararla. Iban a dedicar diez minutos en las noticias y algunas de las piezas grabadas servirían también para contextualizar el programa de la noche. A Leire le gustaba Checa porque era serio y no pisaba la raya del sensacionalismo. Sería de gran ayuda para compensar durante la noche los comentarios vulgares e insustanciales que esperaba de su compañera y copresentadora, Ágata Blanco.

Reparó en que no había llamado a su amiga Paola. Se había dejado las llaves de casa pensando en que volvería a primera hora de la tarde y quería avisarla. La imaginó trabajando en el piso que compartían. Paola había dejado hacía unos meses su trabajo en la Editorial Sintagma y estaba concentrada en editar un texto de memorias de algún personaje célebre. Paola se estaba especializando en escribirles los libros a los famosos, dado que, según ella, no tenían idea ni criterio para que quedaran mínimamente dignos.

—Hola, guapa, estoy de camino a Alella. Voy a trabajar esta noche y llegaré tarde. Además me he dejado las llaves sobre la mesita de noche.

—¡Joder, tía! ¿No te acuerdas de que hemos quedado? Tenemos una reserva en el Bardot para cenar con Yolanda y Nuria. Es mi cumpleaños, por si lo habías olvidado. —El tono de voz de Paola sonaba realmente seco.

Y es que Leire había olvidado por completo que su compañera de piso y mejor amiga la había invitado a un restaurante para celebrar que cumplía treinta y cinco años. Se sentía mal, pero le sería imposible llegar siquiera a tomar una copa en Luz de Gas a una hora decente.

—¡Mierda, es verdad! Ay, cariño, no sabes cuánto lo siento, pero voy a presentar un programa esta noche... Me ha caído un marrón y no he podido negarme.

Leire le puso en antecedentes del asesinato de la concursante y de su papel de copresentadora con Ágata Blanco.

—¿Y vas a trabajar con esa fulana, que toda su vida se ha dedicado a remover en la basura? No te entiendo. —Paola estaba enfadada.

—Mira, si no lo hacía me jugaba mi puesto y el de mis compañeros de informativos. Ya sé que es arriesgado, pero no me queda otro remedio. Intentaré ponerle algo de perfume a la basura —se justificó.

—Bueno, ¿y qué narices hago con la reserva? Me habían hecho buen precio. Le voy a hacer el libro al chef del Bardot y nos había reservado una mesa en el rincón y... ¡Joder, tía, que me hacía mucha ilusión!

El Bardot era un restaurante moderno y con un cierto toque chic que tenía tres ambientes: una barra de degustación, una zona más íntima y otra, al final, en la que podía dar acogida a grupos reducidos. Habían esperado una ocasión especial para cenar en él. Los platillos eran deliciosos y el chef realizaba combinaciones creativas con productos de mercado de calidad. Estaba situado en la calle Enrique Granados, junto a la Diagonal de Barcelona, muy cerca de la discoteca Luz de Gas, a la que pensaban acudir para tomar una copa tras la cena.

—¿Podríamos cambiarlo de día?

—¿Te das cuenta de que siempre eres la que fallas? No pienso cambiarlo. ¡Es mi cumpleaños! ¿Te has enterado?

Leire reparó en que no la había felicitado y que tampoco había pasado a recoger el regalo que había encargado hacía unos días. Paseando un sábado entre las callejuelas del barrio del Born, Paola se había encaprichado de un vestido que vio en una tienda de ropa *vintage* y no se lo compró porque no tenían su talla, así que días después Leire pasó por la *boutique* y lo encargó. Pensaba ir a buscarlo esa tarde y dárselo en el restaurante, pero sus planes se habían ido al traste.

—Paola, no me hagas sentir mal. Si no fuera una causa de fuerza mayor ya sabes que estaría ahí contigo. Nada me apetece más que una cenita de las nuestras.

—Pues no lo parece. Ayer no dormí. Estuve trabajando toda la noche para entregar esta mañana el libro del futbolista ese que hace más faltas que las que le pitarán en su vida a todo su equipo y que ha estirado su biografía más que un portero en un lanzamiento a la escuadra. ¡Estoy hasta el moño! Tenía pensado hacer una siestecita, ir a la pelu y hacerme las uñas… ¿Recuerdas que pedí hora también para ti?

—Sí, ya te he dicho que lo siento. Si no quieres aplazar la cena, hacedla sin mí, pero no te pongas así. Sabes lo mucho que te quiero. Eres injusta conmigo.

—¡Ja!, injusta. Tengo que colgar. He de llevar a la editorial este manuscrito lleno de profundas reflexiones sobre la vida de un millonario pega-patadas de veintiséis años. No es mi mejor momento del día. Ya nos veremos.

—Paola, Paola… —Pero Paola ya había colgado—. Feliz cumpleaños —añadió Leire con el teléfono en silencio al otro lado.

Se le hizo un nudo en la garganta. La mezcla de rabia e impotencia por la conversación con Paola, unida al estrés que sufría desde primera hora por la reunión con su jefe y la certeza que iba adquiriendo de que quizá se había equivocado al aceptar la participación en aquel programa especial, la estaba angustiando.

Para colmo Julián no cogía el teléfono. Lo había visto pasar sin decirle nada por delante del doble vidrio de la sala de reuniones de los informativos, seguramente se dirigía al macroestudio del *reality*. Sabía de su obsesión por investigar y escudriñar personalmente en los lugares donde había estado una víctima de asesinato. Necesitaba desahogarse con él, su templanza y mesura a veces la desquiciaban, pero otras, cuando sentía impotencia, la serenaban. Parecía que todos los problemas se relativizaban cuando descargaba en él su impulsivo carácter.

Hacía días que no se veían. Habían hablado de quedar el siguiente fin de semana. Nada especial, irían a comer a casa de su madre y posiblemente por la tarde al cine. Cenarían en el Café Kafka, en el Born, y pasarían la noche juntos en su casa. Un plan sencillo, pero que a ella le bastaba para olvidarse del trabajo.

Hacía bastante que había descartado hablarle de un mayor compromiso. El tiempo en que vivieron juntos no fueron realmente una pareja, sino dos individualidades con caracteres bien diferentes incapaces de compartir lo que Leire buscaba: un proyecto de futuro más allá del día a día. No quería repetir la experiencia si no estaba segura de que iba a funcionar. Le quería demasiado para perderlo definitivamente.

Otras veces pensaba que no eran tan distintos. Sus trabajos les absorbían. Los dos estaban entregados a la búsqueda de la verdad. Ella en el periodismo y él a través de la investigación policial. Sus métodos para obtenerla eran, en cierta manera, bastante similares: ambos debían contrastar las informaciones que recibían, ella con gabinetes de prensa que pretendían intoxicarla, políticos y financieros que directamente mentían, y también con ciudadanos honestos y otros corruptos. Él clasificaba a sus fuentes en testigos, informantes, denunciantes, delincuentes y hasta las propias víctimas. En estas últimas hallaba también respuestas cuando yacían sin vida, la ciencia forense se convertía entonces en su aliada. Ella simplemente dividía sus fuentes entre las que le aportaban credibilidad y las que no, aunque tuviera que tratar con los mismos personajes que Julián.

La diferencia, pensaba, era que a ella le bastaba con aproximarse honestamente a la verdad. El periodismo no requería de la exactitud de las matemáticas; en cambio, la investigación de los crímenes solo podía acabar con el descubrimiento de los homicidas. Esa verdad que podía ser plural en su profesión no le valía a un policía de homicidios.

Esa permanente duda de todo y de todos, y esa escrupulosa fijación por los detalles de Julián influía en su vida cotidiana, y a ella la sacaba de sus casillas.

El camión se desvió de la autopista para coger la rotonda que enlazaba con la Nacional II en dirección a El Masnou. El día era frío y gris, pero el viento, tras una noche de intensas ráfagas, había amainado. El mar estaba encalmado en el horizonte, aunque la resaca hacía que las olas batieran con fuerza contra la playa. A la altura de Montgat, varios surfistas las remontaban con sus tablas; parecían pingüinos con sus trajes de neopreno negro. Un coche patrulla de la policía les adelantó haciendo ulular la sirena. Debía de dirigirse hacia Alella, supuso. Abrió la ventanilla de la cabina y olió a salitre y algas que el mar había amontonado en la arena y sobre las rocas. Eso pareció relajarla. Cerró los ojos y el aire fresco la confortó, a pesar de que lo sentía como pequeñas agujas que se clavaban en su frente y mejillas. Tomaron la carretera de Alella, que ascendía paralela a la riera desde la playa hasta el pueblo.

De pronto se oyó el rotor de las hélices de un helicóptero que se aproximaba. Estaban detenidos con el camión en un semáforo. Leire sacó la cabeza por la ventanilla para mirar hacia el cielo y vio, a su izquierda, una preciosa masía de fachada barroca con la coronación del tejado ondulada: estaban en Can Lleonart, a pocos metros de la parroquia de Sant Feliu de Alella. El ruido de las aspas girando se hizo ensordecedor. La joven vio cómo aparecía la aeronave por encima de la masía y el efecto óptico le hizo creer que pasaba limando el tejado.

—Mirad, son de los nuestros —exclamó el realizador—. Esto va en serio, ¡joder, lleva montado en la nariz una Cineflex de alta definición! ¡Qué pasada!

—¡Dios!, ¿pero qué está haciendo? —Leire estaba realmente asustada, el helicóptero pasó a pocos metros del camión y se detuvo delante de ellos, suspendido en el aire como un gran insecto amenazante. La cámara que llevaba en el morro giró enfocándoles con el objetivo. Tuvo la sensación de que en lugar de capturar una imagen iba a dispararles.

—Palazzi se ha gastado la pasta —insistió el realizador emocionado—. Están grabando las imágenes del pueblo. Esa maravilla de cámara tiene un estabilizador que permite grabar con más precisión que si estuviera fijada a un trípode en tierra. Las imágenes del campanario quedarán espectaculares.

Toni Checa estaba en silencio con la boca abierta y Leire se tapaba la cara con las manos, incrédula. Uno de los técnicos, realmente impactado, sacó su iPhone y fotografió la escena para conservarla en el recuerdo. La aeronave ascendió con velocidad y los árboles perdieron las pocas hojas que les quedaban por efecto del viento que generaban las palas. El ave mecánica se perdió en un bosque levantando tanto polvo como una tormenta de arena. Pareció que iba a aterrizar.

El realizador recibió una llamada. Al otro lado del teléfono alguien se identificó como el cámara del helicóptero. Parecía recibir indicaciones, porque solo asentía, y cerró la comunicación con un «Ok, allí vamos». Luego le dio instrucciones al chófer de la unidad móvil:

—Dicen que la Plaza del Ayuntamiento está despejada. Podemos estacionar el camión en la parte trasera de la iglesia. Los nuestros ya están ahí, nos facilitarán la maniobra.

—¿Los nuestros?¿La maniobra? Parece que estemos en una guerra —dijo Leire asombrada. No daba crédito a lo que estaba pasando, y menos cuando vio la carretera cortada por tres jóvenes vestidos con las camisetas de ADN TV con el anagrama «Staff», que hacían señales al chófer para que tomara la curva hacia la plaza. Tras ellos, una larga cola de vehículos estaban detenidos. Los apoyos de la cadena de televisión habían llegado antes y lo tenían todo preparado. Aquello era una invasión en toda regla.

El camión giró la cabina y la caja le siguió a regaña-dientes para tomar la pronunciada curva que conducía hasta la Plaza del Ayuntamiento. Las ruedas se subieron a la acera y poco le faltó para llevarse por delante la esquina de una panadería.

La gente salía de los establecimientos y formaba filas arremolinadas para ver aquel espectáculo. Leire sintió vergüenza ajena y deseó que aquello pasara cuanto antes.

El chófer estacionó la unidad móvil en batería junto a la fachada trasera de la iglesia de Sant Feliu. La plaza es-taba, efectivamente, despejada y acordonada con cinta ais-lante con el anagrama de ADN TV. Se había dejado un es-trecho paso para acceder a las oficinas del Ayuntamiento; con seguridad, Palazzi habría autorizado un buen pago al consistorio para que le permitiera tomar posiciones en el pueblo de aquella forma tan invasiva. Varios policías loca-les estaban situados estratégicamente controlando al pú-blico de la plaza e impidiendo que la cruzaran. El mercado municipal estaba abierto y la gente salía con las bolsas de la compra dando un rodeo, para detenerse a contemplar aquella mole, que abrió su portón lateral y dejó a la vista los monitores y la sala de control.

Leire bajó del camión y oyó murmurar su nombre en-tre los corrillos. La habían reconocido. Los del pueblo no parecían estar molestos con aquel despliegue invasor, más bien al contrario, les parecía que iban a vivir un espectá-culo gratuito justo delante de sus casas. El bar de la plaza estaba con las mesas a rebosar y los establecimientos se vaciaron de gente. Todo el pueblo parecía estar festiva-mente en la calle.

Miró al campanario que se levantaba a veinticinco me-tros del suelo. A su derecha, dos furgonetas de *atrezzo* es-taban descargando una estructura metálica.

—¿Tú sabes qué es eso? —preguntó a Checa, que se-guía boquiabierto.

—Creo que van a colocar un andamio para acceder hasta el campanario desde el lateral. Esto es una pasada.

Efectivamente, parecía que los operarios empezaban a levantar un armazón junto a la pared de piedra de la iglesia. Leire buscó al realizador, que estaba con los técnicos de control en el interior de la móvil.

—¿Vamos a grabar desde ahí arriba? —La joven señaló el andamiaje.

—Sí, es una opción. Son cinco pisos, y desde esa altura tendremos unas vistas magníficas no solo del campanario sino de todo el pueblo. Por la noche el helicóptero no puede volar.

—¿No pretenderás que me suba ahí?

—¿Tienes vértigo? ¡No me digas! Por favor, Leire… Anda, ponte la acreditación… ¡Que todo el mundo se la ponga! —gritó—. Es la forma de que podamos circular con libertad ante la policía. Deberías empezar a buscar material. Llévate a dos cámaras y en una hora te quiero aquí. Los cámaras ya irán enviándome lo que vayáis grabando. Tenemos que cubrir diez minutos en el informativo de las tres, no lo olvides.

El realizador cogió su iPad y entró en el programa de la unidad móvil. Desde la tableta podía acceder al control técnico desde cualquier lugar en que se encontrara. La cobertura era buena y además tenían señal de wi-fi, que el Ayuntamiento había instalado en todo el pueblo, según indicaba un letrero junto al edificio ecléctico del mercado. Pero no se fio; la móvil tenía su propia conexión a Internet y la conectó.

—Será mejor que vayamos a ver a los vecinos de Lucía. He concertado también una entrevista con una profesora del instituto donde daba clases y con el sacristán de la iglesia. —Toni Checa tenía un plano del pueblo y varios teléfonos y nombres apuntados en una libreta.

—Sí, vamos. —Leire lanzó un suspiro de resignación y cruzó la plaza. Tras ella, dos operadores de cámara con sendos ayudantes portaban trípodes y pantallas reflectoras. Los curiosos se apartaban para dejarles paso.

—Leire, Leire. —Oyó una voz que la llamaba y que le

resultó familiar. Era Laura, la chica de maquillaje, que corría tras ella con un maletín.

—Ah, hola, Laura, ¿también formas parte de esto?

Laura se incorporó a la expedición junto con Toni Checa.

—No iba a dejar que tu melena se coma tus preciosos ojos, je, je... Te aseguro que vamos a dejar a la Blanco a la altura del betún.

A Leire no le habían hablado en la reunión sobre aquel despliegue, se habían dedicado más a los contenidos que a la parafernalia que iba a montar el departamento de producción para envolverlos. Sintió que le subía la adrenalina y que pasaba en segundos del desconcierto a la excitación. Se dijo a sí misma que no debía perder el control: estaba allí para averiguar quién había podido asesinar a Lucía Ketana y por qué.

Capítulo trece

$\mathcal{M}$onseñor Ibáñez rodeó su huesudo cuello con una bufanda gris y avanzó renqueante arrastrando los zapatones bajo la sotana por la empedrada calle del Bisbe, giró a la derecha en la plaza de Garriga i Bachs y tomó la estrecha vía de Sant Sever, que le condujo hasta la Baixada de Santa Eulàlia.

Al llegar a la esquina en la que, sobre un poema de Verdaguer, había una hornacina con la imagen de Santa Eulàlia, se santiguó y masculló algunas palabras inaudibles en latín. Apenas había recorrido cien metros desde la sede del obispado y ya estaba sin resuello. Sintió el frío gélido en sus manos venosas y azuladas por las que circulaba con dificultad la sangre.

Por su derecha le llegó el olor a esencias empalagosas que desprendía una tienda de perfumes de elaboración propia. Carraspeó molesto y al instante le vino un acceso de tos que convulsionó su enjuto cuerpo como si estuviera siendo zarandeado por algún ser invisible. Se apoyó reclinando la cabeza en una de las paredes y esputó una flema oscura y densa.

Cuando se hubo repuesto siguió avanzando por la calle, que aparecía solitaria y lóbrega. Entró en una tienda de antigüedades y la cruzó hasta el fondo por el único pasillo que dejaban libre las antiguallas de arqueología científica en que estaba especializada: gramófonos de principios del siglo XX, televisores de los años cuarenta o teléfonos y radios de principios del siglo XIX se amontonaban junto a microscopios y telescopios de lentes de cuarzo.

En el mostrador, un viejo le escrutó por encima de unas gafas de montura redonda. Monseñor Ibáñez se quitó la bufanda como si quisiera asegurarse de que le reconocía y sin mediar palabra descorrió el pesado cortinaje que daba a una estantería llena de cachivaches antiguos que necesitaban de una restauración. Tras ella había disimulada una puerta. La abrió, mientras el viejo se cuidaba de cerrar el cortinaje tras él para no ser descubierto por algún posible cliente.

Descendió con lentitud los escalones que, tras la puerta, conducían hasta el sótano de la tienda. Una luz amarillenta iluminaba los peldaños de piedra y proyectaba su sombra encorvada sobre la pared. Las rodillas le dolían a cada paso y la humedad se hacía patente penetrándole por la sotana y la camisa hasta el pecho. Oyó el rumor de unas voces al final de las escaleras.

El nuevo acceso de tos que le sobrevino las acalló. Entró en una gran sala con el techo abovedado. Era rectangular y diáfana, solo dos columnas sostenían la techumbre de piedra revocada. Alrededor de la estancia había dispuesta una mesa en forma de U en la que estaban sentados doce hombres con hábitos negros y la cara semicubierta por las capuchas de sus túnicas.

Se hizo el silencio cuando entró monseñor Ibáñez y se acomodó en el centro de la U, presidiendo la mesa. Detrás de él, colgado en la pared, pendía un estandarte en el que sobre fondo blanco había una inscripción en rojo: «Mártires por Cristo».

—Como sabéis, estamos a punto de que la orden sea rehabilitada por el Papa y vuelva al seno de la Iglesia, de donde no debió ser expulsada jamás; hace años entró el Maligno en ella y confundió a nuestro guía espiritual, al que fue nuestra referencia carismática y modelo a seguir: el hermano Mario Medel, que hizo grandes y honorables acciones, entre ellas crear esta Comunidad que tanto hace por la cultura, la educación y el progreso de la sociedad. Esta gran obra no puede acabar sucumbiendo a las miserias humanas. Los Mártires por Cristo estamos llamados a regir los designios de la Iglesia del futuro. Por ello no podemos dejar que nada ni nadie enturbie el doloroso camino que hemos recorrido. —La voz de monseñor Ibáñez sonaba firme y autoritaria entre aquellas paredes frías.

Los presentes asintieron con un amén y el secretario del arzobispo prosiguió:

—Si os he convocado con tanta urgencia es porque creo que alguno de los nuestros ha escogido el camino equivocado. Debemos encontrar a ese hermano que está tomándose la justicia por su mano. Una muchacha ha pagado con su vida, a través de un martirio absolutamente inútil. No somos justicieros divinos, vivimos entre los hombres y para los hombres. Nadie debe suplantar la ira de Dios, aun cuando creamos que el Maligno está actuando.

—¿Pero qué podemos hacer nosotros? —preguntó uno de los presentes.

—Cada uno de vosotros tiene la máxima influencia en este mundo: domináis las universidades y la enseñanza, controláis los procesos de producción más estratégicos del país, empresas de seguridad, hospitales, tecnologías punta y medios de comunicación. Sois la base de la riqueza terrenal, pero si queréis pertenecer a los dominios del Señor y compartir su patrimonio espiritual no debéis permitir que hechos como la muerte de Lucía Ketana enturbien el buen nombre de la orden de los Mártires. Ella era una de los nuestros. Fue concebida por uno de los nuestros, ¿lo entendéis? Si se descubre que en el seno de la Orden ha habido un crimen tan execrable, todo lo que hemos avanzado en pos de situarnos a la diestra del Máximo Pontífice se desmoronará.

—¿Y dónde debemos buscar a ese criminal? ¿Decís que es uno de los nuestros? ¿Cómo lo sabéis? —Se oyó una voz al fondo de la mesa que Ibáñez reconoció bajo la capucha del hábito.

—Porque me lo anunció —dijo—. Hermano, en tu caso, te ruego que controles lo que está haciendo tu medio de comunicación. ¿Era necesario ese exabrupto de espacio televisivo? —le reprendió con energía.

—Sí, Monseñor, aunque ya iremos con cuidado. No puedo pararlo ahora, la gente no lo entendería, pero le garantizo que hemos tomado medidas para que todo esté bajo control.

—Eso espero, eso espero o las tomaré yo. Poned toda vuestra fuerza y ánimo en el Señor, y en vuestro poder terrenal. Estamos a punto de estar a la diestra del Vaticano y nada puede fallar ahora.

Se hizo un murmullo en la sala. Monseñor Ibáñez se levantó con dificultad de la silla. Se apoyó con una mano sobre la mesa y con la otra en alto hizo la señal de la cruz con la poca energía que le quedaba.

Capítulo catorce

*B*arreta subió unos sándwiches de una cafetería próxima a la comisaría. Julián estaba sacando del sobre la cinta con la copia del programa de televisión.

—Hay que verla en un monitor especial —dijo Barreta.

—¿Tenemos uno?

—Sí, creo que puedo conseguirlo en el departamento de fotografía forense.

—Estupendo.

—¿Quieres el de atún o el de tortilla? No les quedaban más a estas horas. —Barreta le ofreció ambos bocadillos.

—No tengo hambre. Puedes comerte los dos.

—Llevas toda la noche sin dormir y sin probar bocado. No soy tu madre, pero deberías cuidarte. Yo si no como algo soy incapaz de pensar… ¿Seguro que no quieres el de atún?

—No, gracias. Repasemos lo que tenemos.

—Una cinta de vídeo y un ordenador que controlaba a Ketana y a todos los concursantes —dijo escuetamente Barreta.

—Y un tipo que dijo tener contacto con la víctima y que no quiso entrar en el programa, Juan Martínez Fernández, del que la productora dice no tener su filiación.

—Solo debe de haber unos cincuenta mil en España con esos apellidos. No está mal para empezar a buscar.

Menos mal que no se llama García, eso doblaría el número de candidatos —se quejó con sorna Barreta.

—Sí, yo también creo que forma parte de un invento de la productora.

—Hay algo que me sorprende en las páginas de las redes sociales en las que intervenía Lucía Ketana. —Barreta abrió el ordenador y puso en la pantalla la página de Facebook y la de Afroditha una junto a la otra—. ¿Qué ves?

—Las fotos de perfil son idénticas… No sé.

—Sí, es algo en lo que reparé. La foto de Facebook y la de citas es la misma. Es una foto de poca calidad tomada quizá con un móvil.

—Ya sé: alguien que quisiera estar en una red para buscar pareja se haría más fotos y mejores, más sexies, ¿es eso? —planteó Julián.

—Eso pienso yo, y me dio pie a buscar en los datos de su perfil. Los gustos musicales, las preferencias de películas, libros, etc… Todo es calcado en las dos redes. Una es la copia de la otra. Las hizo mediante un copia y pega, todo exactamente con los mismos términos y expresiones. Eso es factible si…

Julián le interrumpió para seguir el razonamiento.

—Si te das de alta en las dos en el mismo momento o con poco espacio de tiempo. Está hecho con rapidez y sin intención. Como si fuera prefabricado. —Hizo una pausa y se quedó unos segundos pensativo—. O fabricado por un tercero…

—Se dio de alta en ambas redes sociales hace tan solo cuatro semanas. Yo diría que lo hizo para concursar en el programa. Debió estar enganchada a los chats de Afroditha día y noche… Mira. —Barreta le enseñó las conversaciones por días.

—¿Cuándo trabajaba? Estaba conectada a todas horas con ese Juan Martínez.

—Podía hacerlo desde su móvil, pero aun así es todo un récord. Pienso que todo lo preparó para el programa. No sé si ella o un tercero, como tú piensas.

—Y si es así, bien pudiera ser todo falso. Tanto la presentadora como el de la productora dijeron que les pareció que utilizó el programa para buscar algo o a alguien —recordó Julián—. Me imagino que no habrán encontrado huellas en la casa ni por supuesto en el teléfono —añadió pensativo.

—Nada significativo. Eso dicen los forenses. La casa estaba limpia.

—¿Y la llamada a la centralita de Nómada Films?

—Es una única centralita para ADN TV y Nómada Films, como suponíamos. En el registro de la centralita consta una llamada a las ocho treinta y cinco, y está hecha desde una cabina telefónica. No nos va a ayudar mucho.

Leire llamó a Julián pocos minutos antes de entrar en antena para el noticiario de las tres.

—Por fin te encuentro. Salgo en quince minutos en el telediario… ¿Dónde andas?

—Estoy en la comisaría. ¿Qué tal por Alella?

—Bien. La gente del pueblo está en la calle a pesar de que hace mucho frío, no quieren perderse el espectáculo. No sabes la que ha montado mi cadena. ¿Algo nuevo acerca del crimen? ¿Algo que me puedas contar antes de salir al aire?

—Nada importante. Leire ve con cuidado. No sé decirte el porqué, pero pienso que al asesino le va todo este ruido que estáis haciendo.

—¿A qué te refieres?

—Pues que de alguna manera su crimen se va a airear, se le va a dar máxima audiencia. Es una corazonada, pero he visto asesinos que consideran su delito como una obra de arte, como la culminación de algo bien planificado que nunca es reconocido. Creo que un criminal que se ensaña de esta forma con su víctima lo hace para transmitir algo. Todavía no sé el qué, pero lo que sí sé es que se sentirá orgulloso cuando vea que medio país contempla su obra mortal.

—Julián, no me metas más presión de la que tengo. La verdad es que no te entiendo. Yo solo estoy haciendo mi trabajo. No puedo pensar en que lo que yo diga lo estará viendo el homicida. Si puedo ayudar en algo me lo tienes que decir.

—No lo interpretes como una censura. Sé que eres honesta con lo que haces, es solo que quiero que vayas con cuidado. ¿Qué has descubierto de Ketana?

—Bueno, aquí todos hablan de que era una chica tímida, buena profesora y que no se metía en líos. Nadie entiende por qué su madre dejó prácticamente toda su herencia a la parroquia. Era muy beata, pero de ahí a no dejarle casi nada a la hija, no sé… Aquí nadie conoce a su padre. Algunos vecinos hablan de que la madre de Lucía era soltera y otros de que el marido la abandonó cuando nació su hija.

—¿Y el apellido Ketana?

—Pues no sé qué decirte… Ahí está lo extraño. Normalmente las madres solteras les ponen sus apellidos a sus hijos, pero en este caso escogió un idioma bíblico para el apellido.

—¿Ketana es un apellido de la Biblia?

—No es eso exactamente. Hablé con el sacristán de la parroquia. Es un novicio culto que lleva poco tiempo en Alella; sustituyó al antiguo, que falleció y que, como él, se ocupaba de auxiliar al párroco en las tareas de la misa y en las domésticas y de mantenimiento de la iglesia. De hecho él fue quien cerró la puerta de la iglesia ayer por la noche. Me dijo que conocía a Lucía, que solía acudir con su madre a misa casi a diario, y que Ketana, fonéticamente, y pronunciado en hebreo, significa pequeña. La pequeña Lucía. Ya ves. ¿Eso te dice algo?

—No, nada de momento, la verdad. —Se quedó pensativo. Un crimen cometido contra una mujer de apellido hebreo que decía ser virgen, que acudía a misa a diario y que había sido martirizada hasta su muerte en una iglesia por alguien, que según el cura era el diablo, solo podía tener una connotación religiosa. O quizás era tan evidente que eso es lo que pretendía el asesino que pareciera a los ojos de todos.

Nada podía darse por obvio en un crimen. Todo debía ser cuestionado y sometido a recelo.

—¿Nos veremos luego? Acabaré de madrugada; el programa empieza a las diez y quieren darle tres horas.

—Leire confiaba en que Julián le dijera que podrían verse en su casa. No tenía llaves de la suya y Paola llegaría tardísimo de Luz de Gas.

—No creo. Yo también acabaré tarde. Quizá mañana.

Julián recordó además, conforme lo dijo, que al día siguiente debía recoger a su madre en el hospital y no podía hacer planes, pero no le dijo nada.

—Ah, vale. —La voz de Leire sonó realmente decepcionada—. Pues eso, ya nos veremos mañana. Debo dejarte. Me hacen señales para que suba al andamio a transmitir. No te lo pierdas.

—¿Andamio?

—Julián, ¿tú me quieres?

—¿A qué viene eso ahora? —Julián decidió que cada vez entendía menos a las mujeres.

—No, a nada. Tengo que cortar. Un beso.

—Leire, Leire…

Al otro lado el teléfono se quedó en silencio. Julián se sintió mal.

Capítulo quince

$\mathcal{M}$aría Torres era una mujer menuda y de aspecto frágil. Su carácter jovial y abierto no podía traicionarla ese día: sabía que debía exhibir el poder que por primera vez iba a ejercer presidiendo el consejo de administración de Simentia.

—Le entrego al secretario Carleti el cese de mi marido como presidente de este consejo y mi nombramiento a propuesta de la Congregación y de las acciones que ostento. Ambas participaciones suman el setenta por ciento de los votos válidos en este consejo. ¿No es así, Bruno? —preguntó dirigiéndose a Bruno Carleti delante de los consejeros.

—Es así y es del todo correcto. Tú diriges desde ahora este consejo.

Siguió un largo debate sobre las incógnitas de una posible fusión que le pareció fatigoso y poco productivo. Cuando llevaba una hora presidiendo la mesa, con diez hombres a su alrededor, le pareció que había transcurrido tiempo más que suficiente como para apremiar con las conclusiones. Los había escuchado a todos con paciencia; el número de votos de las acciones que representaba era tan sobrado como para decidir sin que nadie pudiera presionarla en modo alguno, pero su padre, que le había legado la empresa, siempre quiso mantener un consejo asesor que, aunque tuvieran minoría accionarial, le servía para diluir responsabilidades. Ella lo mantuvo después de su muerte por puro formalismo.

—Bien —dijo elevando el tono de voz—, concluimos que vamos a cerrar la fusión con Semillas Agra en la ecuación de canje de uno a cinco. El veinte por ciento de la multinacional agraria más grande del mundo será nuestro. ¿Estamos todos de acuerdo? ¿Alguien está en contra?

Nadie discrepó. Únicamente, y tras unos segundos, el secretario Carleti, un mexicano viejo y orondo de labios carnosos se atrevió a comentar:

—El consejo aprueba por unanimidad la operación. El veinte por ciento de Agra vale cerca de dos mil millones de dólares, es más de lo que podemos soñar con nuestro desarrollo futuro... Pero creo que tenemos que calcular algunos riesgos de imagen, señora presidenta. —Bruno Carleti evitó llamarla por su nombre, como familiarmente solía hacerlo, para mantener el protocolo frente a los demás consejeros. Su padre fue como un hermano para él y a María la había visto nacer, pero aun así debía mantener las formas.

—¿A qué riesgos te refieres, Bruno? Yo no veo riesgo alguno —dijo contrariada María Torres.

—Si solventamos que el Tribunal de la Competencia apruebe la operación, el siguiente paso es cómo explicarlo a la opinión pública. Ya sabes cómo está lo de las denuncias contra Agra, el agente naranja y todo eso...

—Lo de la competencia ya está resuelto. Hemos tocado a las personas indicadas y está hecho. No va a haber ningún problema. Además, el hecho de que Simentia tenga como accionista a la Congregación nos ha despejado el camino, alguna ventaja debía tener la Iglesia, ¿no crees?

—Bien. Pero insisto en que tenemos que trabajar un buen plan de comunicación porque vamos a estar en la palestra. Estamos en un momento delicado con la Unión Europea. Nosotros crecemos en ventas de hortalizas y de semillas transgénicas en España, pero en Europa te recuerdo que estamos haciendo *lobby* para que abran la mano y nos dejen aumentar la producción. En cambio, Agra ha tenido que retirar sus herbicidas porque se demostró que no eran biodegradables.

—Me importa poco vender en Europa. Además, te digo que al final aumentaremos las ventas ahí, pero con Agra ganamos el mundo entero: Latinoamérica, Brasil, Canadá, Estados Unidos, Vietnam, China… Somos complementarios. Ellos fabrican herbicidas y nosotros tenemos las semillas estériles. Ellos nos despejan el campo y nosotros plantamos las únicas semillas resistentes a su glifosato. Somos la media naranja que necesitan para exprimir un buen zumo.

El gran negocio que había hecho Simentia era el de la venta a los agricultores de semillas estériles, llamadas por la prensa Terminator, unas semillas que habían sido tratadas biotecnológicamente y que no podían reproducirse, con lo que los campesinos debían comprar nuevas semillas para cada cosecha, puesto que estas eran las únicas que podían germinar en los campos pasto del herbicida de Agra.

—Tienen miles de demandas desde la guerra de Vietnam por el agente naranja… —insistió el secretario del consejo.

—Eso ya lo resolvieron. Pagaron millones de dólares por las consecuencias del uso de ese herbicida contaminante. Admito que la imagen de Agra, como la nuestra, no es la mejor, pero los beneficios son increíbles. La repercusión en imagen de la fusión en España será nula o positiva. Explícales cómo lo hemos hecho, Germán.

Germán Molins era uno de los consejeros más jóvenes. Se había formado en marketing y comunicación en Estados Unidos y había cursado estudios de teología y derecho canónico en la Universidad Pontificia de Roma. Se puso en pie y con un mando accionó el proyector, que iluminó una gran pantalla de plasma situada tras él.

—Vamos a invertir veinte millones de euros en una campaña de comunicación imbatible. Hemos empezado hace dos días a emitir los *spots* de televisión y en la prensa comienza mañana una campaña de publicidad a doble página en todos los periódicos nacionales y regionales que durará dos meses. Las radios emitirán varias cuñas diarias de treinta segundos. Nuestro eslogan es «Simentia alimenta tu vida». Sencillo, natural y directo. —Molins mostró unas imágenes en las que la cámara sobrevolaba a ras de tierra campos de trigo dorados, maizales y cultivos de frutales de intenso colorido. La cámara, sin solución de continuidad, se adentraba en el hogar de una familia de granjeros que sonreían felices alrededor de una mesa llena de hortalizas y mazorcas de maíz. El granjero sostenía en una mano un ramillete de lustrosas zanahorias y decía mirando a cámara «Lo natural es la vida», mientras aparecía en la pantalla una sobreimpresión acompañada de una voz masculina profunda y contundente que afirmaba «Simentia alimenta tu vida».

—Eso sin contar con los patrocinios y colaboraciones que hemos pactado con la mayoría de los medios —añadió María Torres ante los miembros del consejo, que habían quedado impactados.

—Efectivamente —prosiguió Germán Molins—. Hemos desplegado una intensa labor de relaciones públicas con los directores de los principales medios y con los redactores jefes responsables del área de consumo, y todos ven con muy buenos ojos nuestra apuesta.

—Ya puedo imaginarme que la ven bien… ¿Cuánto de bien la ven? —preguntó con ironía Bruno Carleti.

—Nos costará otros cinco millones. Hoy en día resulta barato conseguir que los medios realicen reportajes a tu favor o que hagan la vista gorda. Están pasando por una crisis tremenda —dijo María Torres.

—Pero tengo entendido que había un documental sobre Agra en marcha. Estuvieron en nuestras oficinas de México y andaban buscando información sobre ellos. Una periodista me llamó varias veces con las patrañas de ese empleado nuestro, el tal Cabañas —replicó Carleti.

—Todo controlado. Sé de lo que hablas, era para ADN

TV, y, como comprenderás, eso, por proximidad, está bajo control. No habrá reportaje, te lo garantizo. Además, a Marcos le pareció bien que patrocináramos su programa de mayor audiencia, ¿verdad, Germán?

—Sí, hemos hecho una película especial para *Esta es tu vida*. Han batido el récord de audiencia y el recuerdo de nuestro anuncio, según la agencia de publicidad, es excepcional.

—Bien, señores, es muy tarde. Levantamos la sesión, no sin antes decirles que Germán, Bruno y yo misma, con el cargo de vicepresidenta, formaremos parte del nuevo consejo de administración de Agra. Simentia será la delegación de Semillas Agra en Europa y México. Eso es lo que he pactado.

María Torres se levantó de la mesa y todos los consejeros al unísono se pusieron en pie. Bruno Carleti dio cuatro palmadas y el resto de los allí reunidos lo emularon con decisión, prorrumpiendo en un sonoro aplauso. La mujer bajó la vista con falsa modestia y agradeció el innecesario respaldo moviendo afirmativamente la cabeza.

Alguien entró con estruendo en la sala intentando exhibir una pancarta mientras dos guardias de seguridad forcejeaban con él para impedírselo. Las ovaciones se apagaron de súbito y María Torres dio un respingo asustada. Lo sujetaron con brusquedad retorciéndole los brazos y le obligaron a hincar las rodillas en el suelo.

El hombre alzó la vista y la miró con rabia e impotencia. Ella no evitó la mirada, y dirigiéndose a los guardias les pidió que lo soltaran. Estos, desconcertados, lo hicieron a desgana.

—¿Eres Pedro Cabañas, verdad? —le preguntó María.

Él asintió y, dolorido, hizo esfuerzos por levantarse. La directiva ordenó a los guardias que lo ayudaran a incorporarse y pidió a todos los consejeros que la dejaran a solas con él.

Capítulo dieciséis

*J*ulián se quedó adormilado sobre el respaldo de la silla. Cuando despertó, comprobó en su reloj que apenas habían transcurrido veinte minutos desde que Barreta fuera en busca del monitor para visionar la cinta del programa y, sin embargo, el paisaje ya había cambiado: desde la ventana de su despacho constató que el atardecer había dado paso a una noche cerrada y en el interior las luces de los fluorescentes acentuaban la frialdad del mobiliario convencional y acromático de la comisaría.

Era un ambiente propicio para relajarse, pero sabía que no podía sucumbir al sopor y al cansancio. Fue al baño y se remojó la cara con agua fría. Al salir, dio un vistazo al despacho del comisario y lo vio cerrado y con las luces apagadas. Supuso que Rojas no se pasaría por la comisaría y recordó que debía hacerle una nueva llamada en una hora. No tenía nada nuevo sobre el caso, pero prefería llamarle antes de que él lo hiciera exaltado.

Fernando Barreta llegó con un guardia que llevaba un monitor profesional de alta definición. Lo conectaron, introdujeron la cinta y le mostraron el funcionamiento. Julián se quedó solo en el despacho con la luz apagada y se colocó los auriculares dispuesto a ver el primer capítulo de *Esta es tu vida*. Mientras tanto, su ayudante se concentraría en averiguar la extraña utilización del ordenador de la víctima.

Apretó el botón de *play* y las barras de ajuste de los colores dieron paso a una cortinilla promocional de ADN TV y al poco a la cabecera del *reality* con la sintonía del programa.

Una cámara sobrevoló el estudio y captó al público aplaudiendo enfervorizado para centrarse luego en un plano corto de Ágata Blanco que, embutida en un vestido rojo rutilante, sonreía abiertamente dando las buenas noches a la audiencia. La presentadora explicó la mecánica del programa y sugirió que lo que iba a oír y ver el espectador podría ser considerado de alto voltaje: «Estamos aquí para descubrir la verdadera vida de nuestros concursantes, para sacarla a la luz sin tapujos ni censuras. Buscamos la verdad, por dolorosa que esta resulte para ellos. Solo por eso debemos agradecer la valentía de los que se han atrevido a desnudarse delante de todos nosotros. Ya son ganadores por el mero hecho de compartir su intimidad sin límites. Un aplauso para ellos». De nuevo el público prorrumpió en aplausos y vítores mientras desfilaban los concursantes.

Julián se fijó en que en el límite derecho del encuadre aparecía un regidor que los invitaba a pasar en fila india hasta el plató, mientras que a la izquierda, y también en el límite del recuadro de la pantalla y a la vista del público, otro dirigía e incitaba con palmadas a los asistentes. Algo no encajaba en aquella emisión. No era lógico que el espectador contemplara el papel de aquellos animadores que quitaban espontaneidad y veracidad al programa.

Pulsó el botón de pausa y abrió su ordenador para buscar la emisión por Internet, que se hallaba disponible en la sección de los programas a la carta de la cadena. Comprobó cómo en la versión que vio la audiencia no aparecían los regidores y supuso que había un margen de seguridad en las tomas que se emitían. Lo que contenía aquella cinta era por milímetros diferente al encuadre que salía en antena. Había oído a Leire hablarle de ello en alguna ocasión y quizás fuera eso lo que le llevó a pedir aquella cinta original a Palazzi en lugar de conformarse con las imágenes que se habían colgado en la red.

Volvió a reanudar la emisión de la cinta en el monitor y detuvo la del ordenador.

Tenía una duración de dos horas y media incluyendo los pases publicitarios, según pudo ver en el contador que aparecía en una esquina del monitor, mientras que la del programa en Internet, que se suponía era la que habían visto los espectadores, duraba quince minutos menos. Decidió ir avanzando con rapidez con el mando a distancia. Llegó a la escena en la que aparecía Lucía Ketana y volvió a ponerla a velocidad normal.

Era realmente bella. Su corto cabello negro y su tez morena la hacían aparentar mucho más joven. Se la notaba cohibida e incluso parecía sonrojarse a cada pregunta que como puyas le lanzaba Ágata Blanco con contundencia. Hablaba con voz queda, pero sin titubear. A Julián le pareció que no se inventaba las respuestas ni las tenía preparadas. Respondía con naturalidad abandonándose a su suerte frente a la locuacidad malintencionada de la presentadora.

—Has dicho a mis compañeros de producción que eres virgen… ¿Es eso verdad? ¿Sostienes que jamás has tenido relaciones sexuales completas con un hombre?

—Es cierto. No ha llegado el momento en que entregue mi cuerpo a nadie. Sería una bajeza y una humillación imperdonable. Mi vida es del Señor, mi cuerpo le pertenece.

—Venga, no me lo creo. Piensa que quizá hayamos encontrado a alguien dispuesto a llevarte la contraria. Y en cualquier caso, a tus treinta y ocho años y con ese cuerpo, ¿cómo se lleva un celibato sin desquiciarse? No eres de piedra, ¿o sí? Seguro que la mayoría de las mujeres de nuestro público a tu edad ya estaban cansadas de fingir orgasmos con más de un hombre que se las daba de experto amante.

El público rio la gracia de la presentadora y de nuevo

en el margen izquierdo se adivinó de soslayo el perfil del regidor, que les animaba a mofarse con alharaca.

—Tengo la ayuda y la inspiración de Dios. Él está conmigo —dijo Lucía con seriedad, mostrando una gargantilla de la que pendía una flor de lis azulada.

Julián observó como Ágata Blanco se quedaba perpleja y sin reacción. No esperaba esa respuesta, y no tenía a mano un contraataque verbal ingenioso con el que paliar aquel indeseado silencio que se produjo.

Fueron segundos en los que se vio perdida a la conductora del programa, mientras Lucía miraba serena y desafiante al público, al que silenció con aquella extraña respuesta.

—¿Ese colgante que llevas es un amuleto? —preguntó Ágata Blanco cortando el mutismo.

—Es una flor de lis. La misma que llevo tatuada en mi piel.

—¿Nos la enseñas?, la de tu cuerpo, quiero decir.

Lucía se quitó la chaqueta, que cubría su vestido de tirantes, y mostró sobre el hombro derecho el tatuaje de una flor de lis de un color azulado oscuro.

Julián detuvo la imagen e hizo *zoom* sobre ella. Se quedó pensativo. Había leído que el lirio tenía un significado de pureza, especialmente entre las personas religiosas. La pureza que Lucía parecía querer mostrar a toda costa en aquel programa. ¿Pero a quién?

—¿Por qué has venido a *Esta es tu vida*, Lucía? —inquirió Ágata Blanco.

—No tengo una respuesta para ello, pero me gustaría encontrarla aquí. Eso decíais: «si quieres arriesgarte a conocer la verdad de tu vida, la encontrarás en este programa». Por eso me apunté.

—¿No te preocupa que lo que estás diciéndonos sea rebatido por alguien en este plató? ¿Si yo te dijera que ha venido una persona hasta aquí que va a desmentir tu virginidad, qué dirías?

Lucía volvió la vista hacia las bambalinas del escenario.

Era una mirada fría y escudriñadora que la cámara captó en toda su amplitud. Incluso se coló un plano del *backstage*, que Julián reconoció como el mismo habitáculo oscuro que había visitado en el estudio. Detuvo de nuevo la imagen y la pasó fotograma a fotograma. En la oscuridad captó una figura que se perdía por el fondo a toda velocidad, cojeando ligeramente. Alguien, quizá, que por algún motivo no quiso entrar en el escenario.

Hizo *zoom* sobre aquella persona. Distinguió que se trataba de un hombre de pelo corto y fuerte complexión. A lo mejor iba a resultar que el tal Juan Martínez existía, aunque le habían dicho que no llegó a entrar en la antesala del plató. La calidad de la imagen no era buena. Estaba entre sombras porque no le llegaba la iluminación de los focos, pero sin duda era alguien que huía corriendo a pesar de su manifiesta cojera. Los sucesivos aumentos hicieron que la imagen *pixelada* perdiera definición; sin embargo, le pareció ver que aquel individuo dejaba caer algo de entre sus manos, algo parecido a una tela enrollada con una imagen estampada en ella.

De nuevo quiso comparar los planos que había visto en el monitor con los que aparecían en la emisión de la programación a la carta. No tenían nada en común. La imagen con la mirada inquisitoria de Lucía estaba cortada, tampoco aparecía la oscuridad del *backstage*, ni por supuesto la figura de aquel hombre. La pregunta que le había hecho la presentadora a Lucía Ketana acabó con un primer plano de Ágata Blanco cruzando sus muslos semicubiertos diciendo: «No respondas, me lo dirás después de publicidad». Un plano cenital del plató con las gradas aplaudiendo a rabiar dio paso a los anuncios.

Estaba claro: aquel programa no se emitía en directo. Lo hacía en diferido, quizá solo con unos minutos de diferencia, los suficientes para cortar algunos planos que no interesaban. La telerrealidad no era tan real. Quizá buena parte de lo que vio el espectador era falso. Falso y en aparente directo.

Pero, ¿cómo interpretar aquella mirada de Lucía Ketana? ¿Qué vio ese hombre en ella que le hizo desaparecer corriendo?

Estaba en esos pensamientos cuando irrumpió Barreta en el despacho.

—¿Puedo encender la luz?

—Sí, ya estaba acabando. ¿Algo nuevo?

A Julián le cegó momentáneamente el alumbrado de los fluorescentes.

—Creo que he dado con el tal Martínez. Estuve comprobando el teléfono y el ordenador de Lucía Ketana: los chats de Afroditha, la página de Facebook... todo se ha hecho desde el mismo ordenador. Localicé la dirección IP de un ordenador que envió un troyano al de Lucía. Su portátil estaba infectado con ese virus... Y ese virus está lanzado desde la dirección del tipo en cuestión.

—¿Quieres decir que los chats de Lucía y sus páginas en las redes no eran suyas? ¿Utilizó el ordenador de Lucía como si fuera el suyo propio?

—Sí, eso creo. Incluso su teléfono está intervenido. Es un *software* sofisticado que permite suplantar sus mensajes, llamadas, correos, chats, todo lo que el *hacker* crea conveniente. Envió un archivo al ordenador de Lucía y otro a su teléfono, ella solo tuvo que abrirlo para que a partir de ese instante el control quedara en manos de Juan Martínez.

—Y esa dirección de Internet, ¿a qué dirección física corresponde?

—Pues Juan Martínez Fernández chateó y envió correos a Lucía, y la suplantó en la red desde ADN TV, en Pueblo Nuevo, Barcelona.

—Bien, bien, tendremos que buscar a ese amigo virtual en la tele. Pero había alguien real en la antesala del plató. Alguien que por alguna razón no quiso entrar en directo en el programa. Creo que si damos con él habremos avanzado en la resolución de este crimen.

Capítulo diecisiete

*J*ulián Ortega llegó al hospital sobre las diez de la noche. Su madre estaba sentada en un sillón de la habitación frente al televisor y tenía muy buen aspecto. Luisa sonrió al verle y al momento esbozó un gesto de preocupación.

—Haces mala cara, hijo. ¿Has cenado?

—Sí, claro. He tomado un bocadillo —mintió él.

—¿Eso es cenar? ¿Un bocadillo?

—Mamá, he tenido un día duro. Lo que menos necesito ahora es una bronca tuya.

—Está bien, está bien. Va a salir Leire en unos minutos, lo acaban de anunciar.

—Sí, lo sé. He hablado con ella.

—¿No estarás investigando el asesinato de esa chica, Lucía? —No esperó la respuesta—. Ya me imaginaba yo que estarías con ese asunto.

Luisa tenía esa capacidad adivinatoria que a Julián le resultaba a veces incómoda. Con su madre no le valía el disimulo que tan bien le funcionaba con otras mujeres.

—Sí, estoy ocupándome de ese crimen, y tú deberías descansar y no ver ese tipo de programas.

—Pero si sale Leire —protestó—, la he visto en las noticias de las tres. Está muy guapa y habla con mucha soltura. Deberías apoyarla. No es fácil su trabajo, como tampoco lo es el tuyo.

—No, si yo no le echo nada en cara, pero no me gusta que se mezcle con este tipo de *realities* cuando además hay un asesino de por medio. —Julián no tenía demasiadas ganas de hablar de todo eso con su madre, así que cambió de tercio—. Bueno, mamá, mañana te darán el alta. He hablado con las enfermeras. El médico pasará sobre las once y te llevaré a casa.

Luisa hizo caso omiso a la intentona de su hijo y siguió con el asunto del asesinato.

—¿Sabes lo que creo? Creo que el tipo que ha cometido ese crimen es un iluminado. Alguien que cree que está por encima del bien y del mal. Un loco fanático de esos. ¿Si no, por qué ha hecho eso en una iglesia y torturando a esa pobrecilla?

—Mamá, no sé lo que has visto en la televisión…

—No tiene que ver con lo de la tele. ¿Te habrás fijado en que ella se llamaba Lucía y que, casualmente, le sacaron los ojos como a Santa Lucía?

—Sí, claro.

—¿Sí, claro? ¿Eso es todo? Mira, escucha a tu madre… ¿Sabes la historia de Santa Lucía?

—No sé gran cosa, pero imagino que me la vas a contar. —Julián sonrió. Veía a su madre decidida a darle su propio parecer sobre el caso.

—Santa Lucía era virgen, lo mismo que dijo esa chica en *Esta es tu vida*…

—¿Tú viste ese programa? ¡No me lo puedo creer! —Julián exageró su escepticismo.

—Déjate de monsergas. Ya soy mayorcita para saber lo que debo ver, y te puedo asegurar que tu madre tiene más espíritu crítico que el que puedas suponer. —Luisa simuló que le regañaba—. Y ahora deja que te cuente la historia de Lucía de Siracusa.

—Adelante. Oigamos la historia. —Julián no podía dejar de sonreír ante las especulaciones y la firme voluntad de su madre.

—Resulta que curó a su madre de una grave enfermedad. Fue un milagro. A cambio, Lucía le pidió que no la obligara a casarse con un pagano con quien la había comprometido, pues quería conservar su virginidad, y además intercedió para que toda su fortuna la donara a los pobres. Su madre, agradecida, accedió a ello. Sin embargo, en aquel tiempo, en la Sicilia de los romanos, su pretendiente, despechado, la acusó ante el procónsul de ser cristiana y este mandó sacrificarla ante los dioses. Así se inició el martirio; la llevaron a un lupanar para violarla, pero los soldados no pudieron con ella, se quedó rígida como una roca y fue imposible moverla. La intentaron quemar viva y su cuerpo repelía el fuego, así que decidieron arrancarle los ojos. A pesar de ello, Lucía siguió viendo. ¿No ves mucho en común con la Lucía asesinada? Leire contó que la madre de Lucía Ketana había legado toda su fortuna a la iglesia de Alella. Seguro que ese loco que la mató es algún pretendiente al que ella no le hizo caso.

Quizá su madre tenía razón, ya había pensado que el asesino estaba siguiendo la pauta del martirio de los santos, pero no había reparado en que las coincidencias entre la vida de Lucía de Siracusa y Lucía Ketana fueran más allá de la mutilación de la vista.

—¿Te acuerdas del libro de la abuela? Ese que tenía las imágenes de los mártires. ¿Aún lo conservas? —preguntó de pronto Julián.

—Sí, seguro que anda por casa. Cuando eras pequeño lo tuvimos que esconder porque te pillamos mirándolo y luego tuviste pesadillas —sonrió—. ¿Por qué me lo preguntas?

—No, por nada. Mañana buscaremos ese libro en casa. Quizá eso me dé alguna pista.

—Espero que no tengas pesadillas. Tu padre me dijo que lo tirara, pero yo lo guardé. Decía que eran tonterías, leyendas indemostrables que te llenarían la cabeza de pájaros. Él siempre quiso protegerte de lo que creía que eran cosas irracionales.

Rio con ganas. Luisa estaba de buen humor.

—Él no me protegió. Nunca estaba en casa —dijo súbitamente serio Julián.

—Eres injusto con él. Tu padre te quería. Nos quería a los dos, a su manera. Estaría muy orgulloso de ti si vivieras.

—Si viviera seguiría con sus malditos viajes para vender medicamentos.

—Te pareces tanto a él…

—No, no me parezco a él. Yo no soy como mi padre.

—Te rebelas contra ello porque en el fondo te ves reflejado en él. Tu padre tenía que pasar muchos días fuera de casa. Entonces no había las comunicaciones de hoy en día. No podía enviar un correo electrónico a los médicos para mostrarles sus productos farmacéuticos, no había teléfonos móviles y tenía que llegar a los pueblos más lejanos para llevar los antigripales en invierno. ¿Crees que él no sufría la soledad de aquellas carreteras, de aquellos pueblos en los que cenaba solo y dormía en pensiones de mala muerte? Procuraba llamar por las noches desde una cabina telefónica y siempre preguntaba por ti. Él te quería, Julián. Te quería mucho.

—Te dejó sola.

—No es cierto. Estaba contigo. Él lo sabía. Sabía que yo me ocupaba de ti, de que no te faltara de nada. Tú eras mi compañía. Lo habíamos hablado así. ¿Piensas que él no sufría por no poder estar a nuestro lado? Estaba al corriente de todo lo que hacías, de cómo te iban las cosas. Siéntate. —Luisa palmeó sobre las sábanas de la cama.

—Mamá…

Ella le indicó con un gesto serio que se sentara sobre la cama.

—No protestes. Eres un buen chico y un buen policía, y sé que me quieres, pero debes dejar de preocuparte por no tenerlo todo controlado. Yo solo necesito saber que estás bien. No quiero que sufras por mí. Entiendo, como entendía a tu padre, que tu trabajo requiere mucha dedicación. Me basta con que seas feliz… Y tu padre lo era. A él le gustaba su trabajo, a pesar de que eso tuviera sus sacrificios. Lo único que no me gusta es verte tan solo y que estés preocupado por mí. Deberías pasar más tiempo con Leire, es una buena chica y te quiere.

—No puedo vivir con alguien a quien no le puedo dedicar el tiempo que se merece.

—Eso es absurdo, Julián. Lo importante es que el tiempo que estés con ella seas feliz. Te estás perdiendo el cariño de esa chica.

—¿Tú fuiste feliz con papá?

—Muy feliz, hijo. Muy feliz, de verdad.

En la televisión irrumpieron la sintonía y la carátula de *Esta es tu vida*. La primera conexión era desde Alella, y Leire iba a dar la última hora sobre el suceso acontecido en la iglesia.

—Ves lo que te decía. Está guapísima. No sé por qué no estáis juntos —dijo Luisa guiñándole un ojo a su hijo.

No le dio tiempo a responder. Recibió de nuevo una llamada del comisario Rojas. Esta vez cogió el teléfono. Le dijo que quería verle con urgencia, que había pasado algo muy grave y que no tenía más remedio que dejarlo fuera del caso. No le quiso dar más explicaciones por teléfono. Le citó en su casa de Alella.

Capítulo dieciocho

Julián bajó a la cafetería del hospital y se tomó un café cargado para mantenerse despierto. Su estómago le pedía algo sólido, pero no tenía tiempo y pensó que debería engañarlo con uno de los sándwiches resecos que había sobre la barra. Le dio dos mordiscos a uno de tomate, huevo y atún, y encendió un cigarrillo en la calle, a pocos metros de la puerta giratoria del hospital. Un guarda de seguridad le llamó la atención por fumar junto a la entrada de un espacio sanitario. Le miró con cara de pocos amigos, aplastó el cigarrillo sobre una papelera metálica y se colocó el casco y una cazadora que llevaba arrugada en el baúl de la Honda. Hacía frío y de nuevo comenzaba a levantarse el viento.

Creía que la razón por la que el comisario le había citado en su propia casa no tenía que ver con que fueran algo más de las once de la noche, sino que lo que tenía que contarle requeriría la máxima confidencialidad. La comisaría no siempre era el mejor lugar para dirimir los asuntos de orden interno. Los policías a veces actuaban como verdaderas porteras en cuanto se olían que alguno de los suyos podía tener problemas.

Mientras enfilaba la Gran Vía con su Honda en dirección a la autopista de Mataró, intentó repasar cuál podría ser la causa por la que Rojas le hubiese anunciado que le apartaba del caso. Apenas había entrado en él, no había tenido ningún enfrentamiento con nadie y no era capaz de encontrar motivo alguno por el que a las pocas horas de pedirle su jefe que se hiciera cargo de aquel crimen le fuese a relevar de la investigación.

No había llegado todavía a Alella cuando percibió el refulgir de la exagerada iluminación del campanario de la iglesia y de la plaza donde se erigía; los focos de la televisión convertían en día luminoso la noche cerrada en aquel espacio del centro del pueblo. Pensó en Leire, que estaba allí conduciendo el programa en directo.

Continuó por la carretera de Granollers, que al cruzar el pueblo tomaba el nombre de Rambla de Angel Guimerà, dejando la iglesia y el ayuntamiento a su izquierda para subir hasta la nueva urbanización de Can Casals, donde vivía Rojas. Rodeó la masía por detrás pasando por el majestuoso edificio de las Escuelas Pías, la antigua Torre del Gobernador, que llevaba abandonada varios años, desde que en 1978 dejara de ser un colegio. De construcción neoclásica, como todo el recinto, se alzaba lúgubre y solitaria en el camino apenas iluminado por unas pocas farolas de luz semianémica.

Había estado solo en una ocasión en casa de Rojas, cuando este le invitó junto a un grupo de amigos para celebrar su sesenta cumpleaños, pero recordaba bien la entrada a la urbanización, desde la riera de Alella. Aparcó la moto junto a la verja de entrada que daba a un complejo de casas y pisos unifamiliares rodeados de zonas ajardinadas y sintió el olor húmedo del césped a medida que avanzaba caminando hacia su destino. Rojas estaba esperándole en la puerta con un anorak negro que, de no ser porque las caladas que le daba a un cigarrillo alumbraban su cara, le camuflaba perfectamente en la oscuridad de la noche.

—Fumo aquí fuera, a la intemperie. A mi mujer no le gusta que fume en casa.

—¿Qué tal está Elena?

—Bien, muy bien. Ha ido de cena con unas amigas. Llegará tarde, pero te aseguro que si doy una maldita calada dentro de la casa lo notará. Las mujeres lo huelen todo, lo saben todo… No hay quien las engañe, ¿no crees?

—Supongo que habrá algunas más perspicaces que otras.

—Te digo yo que todas son mucho más listas y más mal pensadas que nosotros, sobre todo las casadas. Cuando te casas con una la tienes todo el día al lado. Te ve mear cada día, te hurga en los bolsillos de los pantalones y te huele hasta los calzoncillos. No les hace falta rebuscar en tu teléfono móvil para saber si estás teniendo un rollo con otra. Mejor irle de frente a una mujer que intentar engañarla. —Rojas dio una calada profunda y exhaló un humo denso y grisáceo.

—¿Qué es eso tan importante que me tenía que decir en persona?

Rojas miró en derredor como si alguien pudiese oírle. Pero allí no había nadie. Las persianas de la mayoría de las casas estaban bajadas y se oían de fondo los televisores encendidos. El ladrido de un perro se oía lejano, en los aledaños del espectral edificio de los Escolapios.

—Me aseguraba de que no hubiese por aquí una mujer chismosa que nos metiera en problemas.

—No le entiendo, comisario. ¿A qué viene todo esto de las mujeres?

—Pensaba que solo los casados nos metíamos en líos. Una mujer te puede arruinar la vida.

—¿Y si nos dejamos de rodeos?

—Está bien, está bien, entremos en casa. —Rojas aplastó el cigarrillo sobre una piedra escondida tras un arbusto y se lo metió en el bolsillo del anorak—. No hay que dejar pruebas en el lugar del crimen —dijo guiñándole un ojo.

Entraron en la casa. Rojas se dirigió a la cocina y fue directo al fregadero para tirar la colilla por el triturador. Abrió el grifo del agua y se aseguró de que no quedaba rastro.

Invitó a Julián a sentarse en el sofá. Se acomodó a su lado y sin decir nada encendió con un mando el televisor. Con otro le dio al *play* de un reproductor de DVD.

En la pantalla apareció el camerino de Ágata Blanco, justo en el instante en que dejaba caer su bata y se lanzaba sobre Julián… Aunque también se podía interpretar que era él que, al intentar impedirlo, se la estaba quitando. El cuerpo desnudo de la presentadora se abalanzó sobre él, o quizás en las imágenes pareciera que era él quien la atraía contra sí para besarla. Se oyó como alguien llamaba a la puerta y ella decía mientras se vestía: «Descuide, inspector, le llamaré lo antes posible». Eran apenas veinte segundos lo que duraba aquella grabación. Veinte segundos que a Julián le dejaron confuso y noqueado como si le hubiesen acertado de pleno con un puñetazo en la mandíbula.

Rojas pulsó el *stop* del mando y extrajo el disco del reproductor.

—Me han tendido una trampa —acertó a decir Julián.

—Te lo decía antes, en la calle: las mujeres te pueden arruinar la vida.

—Yo no he hecho nada. La interrogué porque fue de las últimas personas que vio con vida a Lucía Ketana. Me citó en su camerino y cuando me marchaba se abalanzó sobre mí. Eso es lo que pasó.

—Exacto. Y el resultado es que corren por ahí las imágenes del inspector que lleva el caso tirándose a una testigo.

—Yo no me he tirado a nadie. ¿Y qué quiere decir con que corren por ahí?

—Pues que imagino que, igual que me las han enviado a mi correo electrónico y yo las he copiado en un DVD, habrá unos cuantos que las pueden haber recibido… ¿La prensa? ¿La propia tele? ¿Los de Asuntos Internos?… Yo que sé. El asunto es muy feo, Julián. Debes entender que te aparte del caso antes de que esto vaya a mayores.

—¿Puedo ver ese correo?

—Sí, claro. De hecho le iba a pedir a Barreta que averiguara su procedencia.

Rojas fue hacia una habitación y volvió con su portátil. Le mostró los *e-mails* recibidos.

—¿Es este, verdad? —Julián señaló uno de los correos.

—¿Cómo lo sabes?

—Es un correo de Juan Martínez. Me temo que es alguien virtual. No existe.

—¿Pero qué cojones estás diciendo?

—No debe utilizar este ordenador. Seguramente el archivo con el vídeo contiene un virus, un troyano con el que habrán jaqueado toda la información que contiene su portátil. Ya no es seguro.

Julián le contó lo que habían averiguado acerca del ordenador y el teléfono infectados de la víctima.

—¡Joder, Julián! Todo eso está de puta madre, pero no puedes seguir un minuto más al frente de este caso. Los de Asuntos Internos entrarán a saco y yo no puedo hacerme el despistado porque sabrán que te he encubierto. Esto se nos va de las manos.

—No se da cuenta de que a lo mejor eso es lo que pretende el asesino. Quiere que me saque de la investigación, ¿le va a seguir el juego? —Julián hizo un esfuerzo por mostrarse convincente, aunque las imágenes con Ágata Blanco le tenían realmente preocupado. Esa encerrona le daba muy mala espina.

Rojas dudó unos segundos. Lo notó nervioso e indeciso como nunca lo había visto; caminaba alrededor del sofá y se detuvo frente a un carrito con varias botellas de licor.

—Necesito una copa. ¿Quieres? —Le mostró la etiqueta de un whisky escocés y sirvió dos vasos hasta la mitad.

—Solo le pido que no se precipite. Sé que encontraré al cabrón que ha hecho esto, tiene que confiar en mí.

—Dame un cigarrillo de los tuyos.

—Pero…

—Ya sé, ya sé. Le diré a Elena que lo fumaste tú. Haz el favor de encenderte otro, no vaya a ser que lleve un kit de adn en el bolso. En serio, no puedo pensar si no me relajo. ¡Menudo marrón! ¿Sabes, Julián? Me quedan dos putos años para jubilarme, dos putos años en los que no quiero tener un puñetero problema que contamine mi intachable expediente. No quiero darles argumentos a esos políticos de mierda a los que he mantenido a raya hasta la fecha. No quiero que los chupatintas de Asuntos Internos metan su hocico en mi comisaría.

Julián encendió un cigarrillo y apuró un trago de whisky. Rojas exhalaba el humo con parsimonia dibujando círculos en el aire, parecía que eso le relajaba.

—Podemos hacer como que usted no sabe nada. No ha recibido ese *e-mail*. Yo cargo con toda la responsabilidad.

—¡Ja!, pero es que lo he recibido. Te lo acabo de enseñar, y además me ha llegado al correo interno de la comisaría. El tío ese que dices que no existe me envió el vídeo a la comisaría. ¡Tiene cojones!

—Creo que Barreta lo puede arreglar. Podría borrar el disco duro, hacer que no quede rastro de ese correo. De todas formas su ordenador está infectado, si alguien más ha abierto ese archivo estará jaqueado. Están intentando controlar nuestras comunicaciones. Debería dar órdenes de que se haga un barrido en la comisaría bajo el control de Barreta.

—¿Y qué ganamos? ¿Lo habrán enviado ya a medio mundo?

—Ganamos tiempo, comisario. Algo de tiempo para que dé con el asesino.

Sonó la cerradura de la puerta y Rojas apagó rápidamente el cigarrillo sobre el cenicero, antes de meterse la colilla en el bolsillo aún incandescente.

Era su mujer. Se quitó el abrigo y caminó hasta el salón, donde estaba su marido con el inspector.

—¿Qué tal, Julián? No sabía que habíais quedado... He vuelto pronto, no me apetecía tomar una copa. Mañana tengo que madrugar.

—Hola, cariño —saludó zalamero el comisario.

—Hola, Elena. —Julián apagó con parsimonia su cigarrillo y se levantó para darle dos besos.

—Deberías dejar el tabaco. Mira cómo Carlos ha conseguido dejarlo.

—Lo sé, lo sé, pero no puedo evitarlo... Ya me iba, Elena —dijo Julián.

—Sí, ya se iba —corroboró el comisario—. Hemos estado repasando algunos temas.

Rojas debió de notar la quemazón de la colilla, porque hizo una mueca de dolor y aplastó el bolsillo del pantalón con la mano para apagarla. Elena no se dio ni cuenta, aunque Julián pensó que acabaría descubriendo el agujero en el forro cuando le revisara los bolsillos.

—Sí, está el pueblo imposible. Aún siguen con el programa ese en la plaza. La gente, incluso pasando frío, no se mueve de allí. ¡Qué mundo! ¿Alguna novedad en el caso de esa chica? —preguntó Elena.

—Estamos en ello, cariño. Julián tiene algunas pistas que conviene que siga. No le entretengamos más.

—Sí, claro. Estando Julián al frente seguro que en poco tiempo dará con ese monstruo.

—Ha sido un placer verte, Elena.

—Espera, espera —dijo Rojas—, no te olvides del disco y de mi ordenador. Mira si Barreta le puede echar una ojeada. Hace tiempo que hace el tonto, será mejor que se ocupe él de todo. Le llamaré.

Rojas le entregó el CD y el portátil.

—Descuide, comisario. Se lo haré llegar esta misma noche, sin falta.

Julián llamó a Barreta y le puso al corriente de la conversación con Rojas.

—¡Hijos de la gran puta! —casi rugió el inspector cuando acabó de contarle la trama urdida contra él desde los cuartos oscuros de la productora, tal como él imaginaba.

—Tranquilo, jefe, si esa basura ha salido de la productora, lo averiguaremos, no se preocupe —trató de calmarlo Barreta.

Julián le pidió que rastreara el servidor de la comisaría y que borrara aquellos archivos sospechosos, entre ellos los enviados desde la dirección de Martínez en ADN TV. Barreta le tranquilizó diciéndole que si era necesario pasaría la noche en la comisaría y que se veía capaz de instalar un antivirus o un cortafuegos en el servidor que impidiera que llegaran esos *e-mails*, y que si lo hacían podría desviarlos a su propio ordenador para tenerlos controlados.

El inspector estaba algo más tranquilo, pero sabía que era cuestión de horas que saltara a la luz el vídeo sexual que le habían grabado con la presentadora. Decidió no pensar en ello, porque de lo contrario no avanzaría en la investigación y ahora sabía que iba contrarreloj. Pasaba la medianoche y debía dormir algunas horas si quería razonar con lucidez. Sin embargo, le resultó extraño no sentirse cansado. La excitación podía con el sueño y hasta con su apetito.

Estaba cerca de la iglesia de Sant Feliu. Allí había empezado su día, quince horas intensas, demasiado precipitadas y sin tregua para indagar en los detalles que podían ser claves. No había examinado de primera mano el escenario del crimen, no había podido interrogar al párroco, el único testigo que encontró el cadáver y que vio al posible asesino, al que confundió con el demonio y cuya visión le dejó casi catatónico. ¿Y si el asesino perteneciera a una secta? ¿Una secta religiosa que recuperaba la antigua y macabra costumbre del martirio del cristianismo? Un homicida que se le estaba adelantando, que no solo quería confundirle con su control sobre las comunicaciones sino que estaba buscando apartarle del caso. ¿A qué más estaría dispuesto para que abandonara la investigación? No podía dejarle dar el siguiente paso, debía adivinar su siguiente movimiento antes de que la partida se pusiera tan difícil que le fuese imposible jugarla.

De nuevo un aullido que sonaba lejano y estremecedor desgarró el silencio de la noche. El viento volvía a levantarse sin piedad para los árboles recién plantados que se doblegaban a los pies del edificio abandonado de los Escolapios. Y un olor. Un olor metaloide, sulfuroso y penetrante que le traía el viento. Ese olor que notó cuando entró en los jardines de la televisión, quizá el mismo olor que había descrito el cura de Alella la noche en que mataron a Lucía.

Se puso el casco y cogió la Honda para ir hasta la iglesia.

Capítulo diecinueve

*L*eire estaba tiritando de frío sobre el escenario improvisado, a veinte metros de altura. Tenía la sensación de que desde el andamiaje podía tocar el reloj de la iglesia alargando su brazo. Las manecillas estaban a punto de marcar la una de la madrugada. A sus pies, la gente del pueblo empezaba a recogerse en sus casas. Habían aguantado estoicamente las bajas temperaturas frente a los dos monitores que se habían instalado en la plaza y seguían con curiosidad las evoluciones de los cámaras, iluminadores y el personal de producción de ADN TV.

Las entrevistas habían finalizado y solo le faltaba una última conexión, en la que haría un resumen de lo que había sacado en claro sobre el asesinato de Lucía Ketana, que no era gran cosa. Pero al ordenar lo que habían dicho los vecinos de Alella pensó que quizá pudiera extraer alguna conclusión. La transmisión en directo le impedía atar cabos. A veces pensaba que no había nada más engañoso que las emisiones en vivo y en directo: no permitían la reflexión ni la preparación periodística que debía llevar aparejada una investigación, y confundía a la gente e incluso al propio periodista, que se sentía presionado para llenar de contenido varias horas de programa.

De todas formas su balance era positivo. Ágata Blanco, desde el estudio en Pueblo Nuevo, había llevado con bastante dignidad la conducción de un programa en el que habían sido seleccionados los concursantes que pasarían a la siguiente fase y sobre los que se contaron todo tipo de intimidades, pero había procurado separar la conexión en directo de aquel *show* que le seguía pareciendo deleznable, lo cual la honraba un poco.

Leire solo sintió vergüenza ajena cuando Ágata le quiso hacer una pregunta a una profesora del instituto donde trabajaba Lucía: le preguntó que si era cierto que en el claustro de profesores se rumoreaba algo sobre su condición sexual y que si le conocía algún amante, fuera hombre o mujer. La profesora, que estaba siendo entrevistada por Leire, se explayó ante el micrófono: «Yo no sé nada, aunque algunas compañeras decían que aparentaba ser una mosquita muerta en el terreno del sexo, pero que creían que era pura fachada, porque era una mujer reservada pero con carácter, y decían también que una vez la pillaron con cremas raras y un aparato vibrador en el bolso y que dijo que eran para darse un masaje en el hombro». Ágata pareció encontrar en ese puro chisme la forma de entrar a saco en su materia: «¿Pero ese vibrador tenía forma de pene?».

«Yo no lo vi, pero me dijeron que tenía una forma fálica y rugosa...», contestó la interpelada. En ese punto, Leire cortó en seco a la profesora y pudo ver la sonrisa maliciosa de su compañera de programa en el monitor, que le había intentado meter un gol.

Habían acordado que la edición especial de *Esta es tu vida* la cerraría Ágata Blanco; poco antes del final, esta le dio paso a Leire para que efectuara un resumen y la joven periodista consultó las notas que Toni Checa le había elaborado para ese momento. Intentando modular su voz, que empezaba a dar síntomas de afonía por el frío y la humedad que se respiraban, miró a la cámara con el piloto encendido y comenzó a hablar, sin apercibirse de que Julián estaba bajo el andamio metálico escuchándola.

—Lucía Ketana fue brutalmente asesinada hace unas horas a pocos metros de donde nos encontramos. Alguien, siguiendo un ritual macabro, la colgó de las campanas de esta iglesia en la madrugada del día en que iban a ser inauguradas. Hemos intentado conocer quién era Lucía. Sabemos que era una chica tímida e inteligente, que solía visitar la iglesia y que participaba del culto habitualmente, acompañada de su madre recientemente fallecida, según nos ha dicho el sacristán de la parroquia de Sant Feliu. También nos ha contado que Ketana es un apellido que en hebreo significa pequeña. La pequeña Lucía llevaba desde el año 1980 en Alella, donde estaba empadronada, según nos ha referido el alcalde, y era profesora de filosofía en el instituto. Su madre, también lo ha confirmado el alcalde, legó toda su herencia para la restauración de las campanas bajo las que apareció muerta. Los vecinos, que conocían a Francisca, la madre de Lucía, y a los que hemos entrevistado, no han sabido darnos explicaciones de su procedencia. Unos dicen que madre e hija llegaron al pueblo hace algo más de treinta años, tras fallecer su marido en México. Otros creen que la señora Castro no era viuda sino madre soltera. Todos sin excepción se quedaron sorprendidos cuando vieron a Lucía en un concurso de esta cadena de televisión, no se explican por qué lo hizo. Hemos podido acceder a la casa de Alella donde Lucía vivió hasta hace unos años con su madre; el nuevo propietario, que se la compró a la Iglesia, que la había recibido en herencia, nos ha mostrado su habitación. En ella encontró una foto que podría ser de Lucía cuando era una niña, apenas tendría cuatro o cinco años. —Leire mostró la fotografía a la cámara—. Esta foto en la que aparece vestida con camisa blanca y falda a cuadros dando la mano a un chico de su edad, con uniforme blanco y cinturón oscuro, parece estar tomada en el patio de un colegio. Ambos están con cara seria y tienen un gran parecido. Nada más sobre el pasado de Lucía. No se le conocen amigos. Según nos ha contado el director del instituto donde daba clases hasta anteayer, el título de licenciada en Filosofía lo obuvo por la universidad a distancia. Tampoco hemos podido contactar con posibles compañeros del colegio, por lo menos aquí en Alella no los tenía. Parece que sus estudios los hizo desde casa. Su madre le debió de dar las clases. Lucía parece que fue una mujer enigmática, solitaria y huidiza, que se relacionaba poco o nada con sus vecinos. Sin embargo, los datos que obran en el departamento de producción de tu programa, Ágata, hablan de que Lucía se relacionaba a través de las redes sociales y que llegó a buscar pareja en ellas.

»¿Qué motivó a una persona solitaria y esquiva a presentarse a un concurso de esas características? ¿Por qué, de repente, tomó una decisión que la sacaba del anonimato en el que había vivido? Y sobre todo, ¿quién, quizá a raíz de que ella saliera en televisión, acabó brutalmente con su vida? —Leire hizo una pausa para continuar—. Hay muchas preguntas sin respuesta. El hermetismo de la investigación policial y el silencio también del Obispado ante un crimen cometido en su parroquia hacen que no podamos aportar, de momento, más datos. Devolvemos la conexión a nuestros estudios centrales, donde está Ágata Blanco. Es todo por hoy, desde este precioso y convulsionado pueblo de Alella.

En el estudio, Ágata Blanco agradeció a Leire su trabajo periodístico, no sin hacerle algunas observaciones recriminatorias en directo.

—Nuestra compañera Leire Castelló ha hecho un gran programa, aunque seguramente esa inmediatez que requiere una emisión en directo le ha llevado a olvidar que «este programa de televisión» —lo dijo con retintín—, que pertenece a nuestra cadena ADN, se llama *Esta es tu vida*, y que especular con el hecho de que salir en la televisión pudiera ser la causa del asesinato de nuestra concursante Lucía es una aseveración inexacta cuando menos, que solo el riguroso directo y la emoción vivida en Alella por nuestra periodista justifican que sea obviada, y ella misma disculpada por ello.

»Muchas gracias por estar ahí estas tres largas horas y

les esperamos la próxima semana para descubrir la verdad de las vidas de nuestros concursantes en *Esta es tu vida*. Los servicios informativos de esta cadena continuarán informando sobre las novedades del caso de Lucía Ketana. Buenas noches y hasta la próxima semana.

Leire estaba rabiosa. No podía contestarle. Le había intentado dar una lección de periodismo aquella mujer a la que solo le interesaban los detalles efectistas y escabrosos sin evaluar siquiera que fueran verosímiles. Y pensar que le había llegado incluso a parecer profesional en algún momento del programa. Su indignación era también consigo misma: no debía haber aceptado un directo mezclado con ese *reality*, con las premuras de realizar dos informativos y las intervenciones en el programa, sin tregua para poder investigar y analizar los datos antes de exponerlos. Se sentía mal porque era consciente de que se había equivocado.

Sonaron los cuatro cuartos en el reloj de la iglesia, seguidos de la campanada grave y contundente que señalaba la una de la madrugada. El realizador se había encargado de que el sacristán las activara puesto que no solían hacerlas tañer a partir de medianoche, y ello le sirvió para hacer un fundido del campanario sobre el que apareció la cortinilla con el rótulo de *Esta es tu vida* y el *copyright* de ADN TV.

Leire descendió del andamio con cautela para no trastabillar con los improvisados escalones metálicos sobre los que sus tacones hacían malabarismos. Hasta que no hubo llegado a tierra firme no levantó la vista para descubrir a Julián, que le sonrió abiertamente.

—¡Qué bien que estés aquí! No te esperaba. —Corrió hacia él y le besó en la boca.

Un técnico de sonido le quitó la petaca del micrófono inalámbrico. Los operarios recogían en bobinas los cables tendidos por el suelo de la plaza y los iluminadores desmontaban los focos y pantallas para introducirlas en las furgonetas. La unidad móvil aún se quedaría hasta el día siguiente por lo menos. La intención de la cadena era que el informativo de Leire de las nueve de la mañana se emitiera desde la plaza de Alella.

—Vamos a algún sitio donde podamos hablar tranquilos —dijo Julián cogiéndola de la mano.

Caminaron entre la poca gente que quedaba en la Plaza de la Iglesia, que les miraban sin disimulo, y doblaron la esquina por el Ayuntamiento para dar a la carretera que atravesaba el pueblo. El restaurante Can Durán estaba bajando las persianas, había abierto hasta muy tarde para que sus clientes pudiesen ver el programa en el televisor del local. Las luces de las casas se iban apagando a su paso y la noche se hizo cerrada y oscura. Vieron en un lateral, junto al aparcamiento del mercado, que todavía estaba prendido el letrero de un restaurante, el 1789. Bajaron unos peldaños y se encontraron en un espacio acogedor. Había sido la antigua bodega de la masía de Can Lleonart y conservaba los arcos y las paredes de piedra; no había nadie y se oía el trasiego de platos en la cocina, seguramente estaban recogiendo. Salió un hombre de mediana edad que les invitó a pasar. Les dijo que ya habían cerrado la cocina, pero que les podía preparar algunos entrantes fríos si no iban a estar mucho tiempo. Aceptaron la oferta y enseguida tuvieron sobre la mesa unos patés de *foie* y unos quesos que les sirvieron con vino de pansa blanca de Alta Alella. El propietario les dijo que había tenido lleno el restaurante durante todo el día. Al parecer, el efecto de la emisión del programa desde el campanario de la iglesia había sido productivo para el pueblo, pues muchos curiosos se habían acercado hasta allí.

—Me quedaré a dormir esta noche aquí. La tele nos ha conseguido un hotel y mañana quieren que dé las noticias de las nueve desde el pueblo. Estoy muerta… ¿Por qué no te quedas conmigo?

—No sé. La verdad es que estoy muy cansado… Mañana tengo que recoger a mi madre en el hospital.

—¿Qué le pasa a Luisa?

—Nada importante. Sufrió una lipotimia pero ya está bien.

—¿Por qué no me dijiste nada? Pobrecita.

—Te ha estado viendo en la tele del hospital. —Julián esbozó una sonrisa.

—Pasaré a verla mañana. Me cae muy bien tu madre, ya lo sabes. Tenías que habérmelo dicho. —Le cogió la mano sobre la mesa con suma ternura.

—Enséñame esa foto de Lucía que has sacado en el programa —dijo él cambiando de conversación.

Leire le mostró la fotografía de los dos niños cogidos de la mano en lo que parecía el patio de un colegio y Julián se la aproximó escudriñándola en silencio. Había advertido algo en aquella imagen antigua.

—¿Qué ves?

—Es Lucía Ketana, la de la izquierda. Lleva colgada al cuello la cadena con la flor de lis y el otro… —Julián hizo un silencio.

—¿Quién? ¿Quién es el otro, Julián?

—Ese niño también lleva colgada una flor de lis en el cuello. No sé quién puede ser.

—¿Qué significado debe de tener?

—No lo sé.

—¿Sacaste algo en claro con mis jefes de la tele?

—La verdad es que no mucho, pero tengo sospechas fundadas de que los del programa donde intervino Lucía Ketana montaron alrededor de ella toda una historia falsa sobre su vida amorosa, le confeccionaron sus páginas de redes sociales y le llenaron de chats su cuenta en la web de citas. Quisieron enfrentarla a alguien que no se prestó a ello o, por el contrario, era ajeno a ese montaje. Su ordenador está manipulado, jaqueado por un tercero, y pienso que en eso puede tener mucho que ver el productor del programa.

—No puedo creer lo que estás diciendo. Si es así, son unos cabrones. Imaginaba que todo era un montaje, pero no que llegaran a esos extremos…

—Tengo que probarlo, pero estoy convencido de que ha sido así. Leire, todo esto no me gusta nada, es peligroso. La manipulación de los datos y las comunicaciones que se está haciendo es tremenda. No debes abrir ningún correo que contenga archivos sospechosos.

—Pero, ¿qué tiene que ver eso con el asesinato de Lucía?

—Eso es lo que todavía no sé. Necesito hablar con el párroco. Él debía conocer bien a Lucía. Necesito saber quién es este niño que aparece junto a Lucía. —Puso el dedo sobre la fotografía.

—Hay alguien más en esta imagen, ¿te has fijado? —Leire le señaló una silueta desenfocada que aparecía tras una columna del patio y parecía mirar a los niños.

—Parece otro niño, un joven. Es mayor que ellos y lleva un uniforme diferente. Es oscuro. Debió de aparecer en la fotografía por casualidad. Es difícilmente reconocible en una foto de esta calidad.

—El párroco sigue en el hospital, ¿no? Sufrió una crisis. Llamamos a los médicos que le atienden y dicen que lo han tenido que sedar. Dimos esa información en el programa.

—Sí, el principal testigo está fuera de juego. Eso no ayuda.

—Estás cansado. A estas horas no vamos a solucionar nada. ¿Por qué no vamos al hotel? Mañana me tengo que levantar a las siete y son casi las dos de la mañana. —Leire consultó la pantalla de su móvil.

—Sí, será mejor que duerma algo. Me quedaré esta noche contigo en Alella.

—¡Uff! Tengo decenas de *e-mails*. —Hizo ademán de abrirlos mientras Julián pagaba la cuenta del restaurante.

—¡No los abras! —Julián se precipitó sobre el teléfono de Leire y de un manotazo lo lanzó al suelo.

—¿Estás loco? Tú estás de los nervios.

—Te dije que no abras archivos de desconocidos. Pueden estar infectados.

—Pero esas no son maneras… A ti te pasa algo, Julián. Te conozco…

—No me pasa nada. Solo que estoy tenso y no he dormido. Déjame ver tus *e-mails*.

—Todo esto me parece muy extraño. —Ella le dio el teléfono algo asustada y Julián examinó los encabezamientos de todos los correos electrónicos—. ¿Me vas a decir qué está pasando?

—Enviaron esta tarde un correo al comisario Rojas bajo el nombre de Juan Martínez. Creo que es un nombre falso creado por alguien de la productora de televisión. Había un archivo con un vídeo y, bueno, ese vídeo es un virus…

—¿Qué contenía ese vídeo?

—Nada importante.

—Julián, te has puesto como una fiera por cogerme el teléfono. Tampoco es un drama que un iPhone esté contaminado. Se le pasa un antivirus y se reinicia con otras contraseñas. ¿Qué vídeo le enviaron a Rojas? —Leire alzó la voz y Julián le sugirió salir del restaurante. El dueño lo agradeció, pues llevaba un buen rato con el casco de la moto en la mano esperando que abandonaran el local para poder cerrar e irse.

Anduvieron en silencio por la acera en dirección a donde Julián había estacionado la moto. Cuando llegaron a ella, Leire se quedó con los brazos en jarras esperando a que hablara. Julián la miró fijamente dudando si se lo debía contar, pero supo que ella no se movería de allí si no obtenía una respuesta.

—Está bien. No sé por dónde empezar para que lo entiendas.

—Pues quizá explicándome qué es ese vídeo y si tiene que ver con el caso. No soy tonta, y no me he chupado una jornada larguísima en la tele para quedarme en ascuas. No olvides que yo también estoy tratando de saber qué le paso a Lucía.

—El caso es que Ágata Blanco pidió verme cuando bajé

al estudio de grabación. Me dijo que me quería ver en su camerino y que me podría dar pistas sobre Lucía. El asunto es que grabaron ese encuentro y se lo enviaron al comisario. Me tendieron una trampa.

—Bien. ¿Y qué te dijo Ágata?

—No gran cosa. Que creía que Lucía era tal y como se mostraba, y que tenía la sensación de que se apuntó al programa porque quería saber algo que ella misma desconocía de su pasado. Y también por dinero: quería hacer un viaje a México.

—¿Y eso es todo? ¿Por eso te has puesto como una fiera?

—Ella… ella estaba semidesnuda en el camerino y en un momento determinado se lanzó sobre mí. Grabaron ese momento…

—¡Vaya, así que era eso! Esa guarra… ¿Hicisteis algo? Dime la verdad.

—No, nada. Simplemente se abalanzó sobre mí y me abrazó. Se despojó de su bata y se quedó desnuda.

—¡Ya! Y tú, que estabas muy cansado, la apartaste con las pocas fuerzas que te quedaban… ¿No es eso?

—Leire, no me fastidies. Fueron veinte segundos. Llamaron a la puerta y ella se vistió y disimuló. Creo que estaba todo preparado para tenderme una trampa y dejarme fuera del caso. He tenido que ir a casa de Rojas para convencerle de que no me aparte de él. Ahora más que nunca quiero saber quién o quiénes son los cabrones que están jugando conmigo. Por eso te dije que fueras con cuidado con el móvil y con tu ordenador.

Leire puso una expresión de rabia y dolor al mismo tiempo. Se sintió mal, humillada por la presentadora estrella que se había atrevido a flirtear con su novio. Ella, que no respetaba la intimidad de nadie, había transgredido la suya propia. Ella, que se había atrevido a darle lecciones de periodismo en público al final del programa. Estaba asqueada. Julián lo notó. Sin embargo, Leire se tragó lo que sentía y reaccionó con aparente frialdad.

—Te creo. Y ahora llévame al hotel.

Subieron en la moto y se dirigieron al Hotel Porta de Alella, situado en una zona rural, en un desvío a la derecha de la carretera de Alella a Granollers, apenas a un kilómetro del pueblo. Leire iba abrazada a la cintura de Julián y oprimía el rostro contra su espalda. No era capaz de impedir que se le saltaran las lágrimas de impotencia que corrían bajo la visera del casco de la moto.

Cuando llegaron al hotel, Julián la miró mientras se quitaba el casco y se sonaba la nariz. Estaba preciosa, aún conservaba el suave maquillaje que le habían puesto para la televisión y su cabello rubio alborotado la hacía más sensual.

—Bueno, siento todo esto. Si quieres me voy a casa y mañana ya hablamos. Lo entenderé —le dijo con la cabeza baja.

—Tú no entiendes nada. Anda, sube conmigo.

Subieron a la habitación. Ella puso las manos sobre su pecho y le dio un empujón para hacerlo caer sobre la cama. Cuando hizo ademán de incorporarse, Leire ya se había descalzado y estaba de pie en ella. Con ambas piernas abiertas, le sujetó las caderas para inmovilizarlo. Puso un pie sobre su frente para tumbarlo de nuevo en la cama. Julián sonrió divertido aunque estaba algo desconcertado: no había visto nunca a Leire actuar de esa manera.

Con un gesto rápido se quitó el abrigo y el vestido, que lanzó al suelo, y se quedó en ropa interior. Se arrodilló sobre él y se sentó sobre la bragueta de su pantalón contoneando su sexo cubierto por un tanga minúsculo. Le fue desvistiendo nerviosa y acelerada. De vez en cuando se detenía para acercar los labios a su pecho y a su boca con delicadeza. Cuando Julián los quería besar ella se apartaba y acto seguido le daba un pequeño mordisco por sorpresa. Julián intentó liberarse del pantalón, pero ella le apartó la mano con un gesto enérgico: quería desvestirlo sin su ayuda. No le iba a dejar ni un ápice de iniciativa en aquella ceremonia sexual.

Cuando lo hubo desnudado por completo fue acercando gradualmente su sexo a su torso y luego al cuello hasta cubrirle con él la cara. Se movía con un ritmo acompasado y sutil. Julián no vio en qué momento se desprendió del sujetador y sus pechos rozaron su frente, su boca, el torso y la cintura para detenerse en su pene. Leire puso el culo en pompa y se liberó del tanga. Desnuda del todo, le cogió la base del pene con la mano y comenzó a lamerlo con suavidad.

Se dio media vuelta mostrándole su sexo húmedo sin dejar de succionar su pene. Cuando Julián quiso acariciarla se lo permitió solo un instante. Al momento se volvió y se introdujo con suavidad el pene en la vagina. Leire cerró los ojos como para concentrarse solo en aquella parte de su cuerpo que había sido autopenetrada. Puso las manos sobre el pecho de Julián y cabalgó sobre él con cadencia lenta y enseguida con rapidez. Indiferente, como si él no estuviera.

—¡Me voy a correr!... ¡No te muevas! —ordenó mientras Julián se concentraba en aguantar la eyaculación.

Leire tuvo un orgasmo como Julián no recordaba que hubiese tenido antes. Gritó y se mordió los labios para recrearse en aquel instante de placer extremo. Pero no se detuvo, y siguió contoneándose con movimientos circulares sobre el pene. Al poco tuvo un nuevo orgasmo que la dejó extenuada y cayó sobre Julián besándolo con pasión mientras él eyaculaba dentro de ella.

Había sido genial, pensó Julián. Estaban en silencio. Él le acariciaba la espalda y ella lo abrazó con fuerza, deslizando unas lágrimas.

Leire rompió el silencio al cabo de unos minutos para decir:

—A veces no me entiendes, Julián. No me entiendes.
—Lo besó en la frente con suavidad y le acarició la cabeza.

Capítulo veinte

*J*ulián se levantó temprano. Leire aún dormía. Le daba vueltas a la fogosidad con la que le había hecho el amor. Se le habían quedado grabadas sus últimas palabras antes de que cayera profundamente dormida: «No me entiendes».

Había reaccionado contrariamente a lo que esperaba de ella tras haberle contado el encuentro con Ágata Blanco. Imaginaba que se sentía despechada y que por mucho que le explicara que en el camerino no había pasado nada, ella podía pensar que no era así. Quizá sintiera que Ágata podría ser una rival peligrosa y que más allá de detestarla por su actitud profesional en la televisión, ahora pudiese albergar un sentimiento de odio hacia aquella mujer que había querido mantener una relación sexual con él. Lo que había hecho Leire era marcar su territorio como un animal salvaje.

El «no me entiendes» se convertía ahora en una especie de compunción que le perseguía mientras enfilaba la autopista en dirección al hospital universitario de Can Ruti, en Badalona. Esa entrega absoluta y generosa de Leire cuando podía sentirse herida tenía un valor especial que quizá no sabía apreciar en toda su dimensión. Era una gran mujer, y pensó que él no estaba a la altura de los sentimientos que ella le demostraba.

Todavía era noche cerrada y apenas había tráfico. El frío era intenso y sobre la sierra de la Marina se cernía una suave neblina. Apenas tardó diez minutos en llegar al hospital con su moto.

En el pasillo de la planta baja, junto a la puerta de la habitación de Dimas Pascual, un policía estaba repantigado en una silla. Julián se identificó y el agente le abrió la puerta.

El párroco parecía estar despierto. Sobre el cabezal de la cama, que estaba vacía, un fluorescente amarillento era la única iluminación de la habitación. Estaba retrepado en un sillón, con sendas almohadas en la espalda y la cabeza. Le pareció que estaba leyendo un ejemplar del Antiguo Testamento. El cura levantó la vista con parsimonia y fijó en él unos ojos vidriosos. Pareció no inmutarse por su presencia.

—Soy el inspector Ortega, padre. ¿Cómo se encuentra?

El párroco alargó su brazo en dirección a un carrito con ruedas en el que había un botellín de agua y un vaso. Julián lo llenó y se lo acercó. El cura lo asió con fuerza y se lo llevó a los labios para darle un par de sorbos.

—Estoy bien, hijo, estoy bien. Un poco confundido. Creo que he dormido un buen rato. —Su voz sonó firme y le sorprendió que en tan solo veinticuatro horas se hubiese recuperado.

—Quería hacerle unas preguntas, si se encuentra con fuerzas para responder.

—Han dormido mi cuerpo, pero no mi conciencia. No puedo dejar de pensar en lo que ha pasado. Adelante, hijo, adelante, pero no le diga a las enfermeras que no me tomé la última pastilla. —Dimas Pascual abrió la palma de la mano y le mostró a Julián una cápsula de color amarillo mientras intentaba esbozar una sonrisa pícara.

—No se preocupe, no se lo diré.

—Son muy buena gente, pero se exceden en su celo por cumplir a rajatabla las órdenes de los médicos, y les podría caer una reprimenda… No quisiera que tuviesen problemas por mí.

—Descuide, padre. Me gustaría que me relatara los hechos de ayer en la iglesia. Dígame qué es lo que recuerda.

—Fue horrible, hijo. Estaba en la cama despierto; recuerdo que miré el despertador, debían de ser las cinco de la mañana, y oí ruido de pasos en la escalinata de la torre del campanario. Al poco rato sonó suavemente la campana, creí que era por el viento que hacía, pero los gemidos de la madera en las escaleras de la torre persistían. Me levanté y me dirigí a la capilla. Los interruptores de la luz no funcionaban, así que pensé que los diferenciales habían saltado y fui a tientas a armarlos… cuando…

—Tranquilo, tómese su tiempo, ¿quiere un poco más de agua?

El párroco dio otro sorbo y continuó. A Julián le pareció que estaba perfectamente lúcido y recuperado.

—Era Satanás quien estaba ahí, en medio de la capilla, con sus enormes cuernos y su horca. Había segado la inocente vida de Lucía, mi pequeña Lucía… Salió de una zancada, el Santo Cristo me protegió —se llevó la mano al cuello para mostrarle un crucifijo de madera con un Cristo de plata—, pero a ella, que era una santa, se la llevó para siempre.

—Les dijo a mis compañeros que sintió un profundo olor a azufre.

—Así es: el diablo llegó desde el mismo infierno ungido de sus esencias malignas.

Pensó que por ahí no debía continuar.

—La puerta de la iglesia estaba abierta. Al parecer se olvidaron de cerrarla la noche anterior.

—El Maligno no tiene barreras, ni puertas que le franqueen entradas, pero yo personalmente vi cómo Carlos, el sacristán, la cerraba.

—¿Quién tiene llaves de la iglesia, además de Carlos y usted? La cerradura no estaba forzada y el viento es imposible que abriera la puerta.

—Solo él y yo. No hay más juegos de llaves. Ya veo que no cree en el diablo. Hijo, estoy cuerdo, y le digo que vi a Satanás en persona y que desprendía el fétido olor del lago de fuego y azufre donde fue lanzada la bestia… Está en el Apocalipsis, joven.

—Carlos, el sacristán, tengo entendido que lleva poco tiempo con usted.

—Es de toda confianza. Lleva poco más de un año y va para cura. Es un novicio muy inteligente. Durante más de veinte años me asistió Lorenzo, pero el pobre se retiró a su pueblo, debía cuidar de su madre enferma. A las pocas semanas de morir ella recibí una carta anunciándome la muerte de él. Pobre Lorenzo, era como un hermano para mí. No debe desconfiar de Carlos. Sé muy bien cuando estoy frente a una persona de corazón limpio.

—Está bien. Hábleme de Lucía Ketana. Sé que asistía regularmente a misa con su madre, Francisca. Usted la debía de conocer bien.

—Es una larga historia. —El cura se santiguó y besó el crucifijo que estaba sobre su pecho—. Dios me perdone y tenga en su gloria a la pequeña Lucía.

—Estoy dispuesto a escucharle, tengo todo el tiempo.

—Hijo, lo que voy a contarle es una historia de dolor para mí y para la Iglesia. Ni en confesión la divulgué jamás, aunque no podía soportar la carga en soledad. Dios me ha dado fuerzas hasta ahora, que me ha sido arrebatado lo más querido. Ojalá me hubiese arrancado la cordura para aliviarme de este trance.

—Adelante, padre. Puede contarme esa historia.

—La pequeña Lucía era solo una niña que no había cumplido los cinco años cuando la conocí. Recibí el encargo de sacarla del hospicio donde se hallaba para darla en adopción. De eso hace más de treinta años. Me parece verla aún correteando por el patio de la alberca en el hospicio de Guadalajara, en México. Hacía mucho calor y se bañaba ante la mirada atenta de la directora, que me condujo hasta ella. Era una niña alegre y, sin embargo, llevaba unos días jugando sola y apartada de los demás niños… ¿Ha oído hablar del Hospicio Cabañas?

—No, no he oído hablar de él.

—Fue hospicio hasta el año 1980. Cerca de tres mil niños huérfanos y abandonados por sus padres vivían en esa Casa de Caridad que fundó el obispo español Juan Cruz Ruiz de Cabañas en 1810, con la ayuda del rey Carlos IV. Hoy, tras varias vicisitudes y reconstrucciones, es un lugar precioso protegido por la UNESCO y que se puede visitar. El mismo obispo Cabañas se encontró con el Diablo en una ocasión: caminando por la noche en su ánimo caritativo de buscar a los niños abandonados, le salió al paso un personaje envuelto en una túnica negra que le conminó a postrarse ante él bajo la amenaza de que, de no hacerlo, el hospicio sería destruido por las milicias. Cabañas le dijo que él solo se arrodillaba ante el Señor y ante la Virgen. Ese día el obispo no llevaba el crucifijo que le protegía y Satanás cumplió su advertencia... Pero, bueno, eso es otra historia. Aún recuerdo las pinturas de José Clemente Orozco en las bóvedas y paredes de la entrada en la que aparece el obispo Cabañas bendiciendo a unos niños. ¿Sabe?, sobre el pliegue de su túnica, bajo la cruz de nuestro Señor, se puede ver la figura del Diablo...

—¿Es esta Lucía? —Julián le mostró la fotografía que le había dado Leire.

—¡Dios mío! Es ella. ¿De dónde la ha sacado?

—Estaba en casa de su madre, de Francisca.

—Esa es la fotografía que me llevé para identificarlos...

—¿Quién es el otro niño?

—Su hermano Pedro. Pedro Cabañas. ¡Dios me perdone! Llegué tarde para traerme a ambos. Ese año el hospicio cerraba sus puertas y los niños fueron dispersados a otras casas de caridad; muchos fueron adoptados. Hubo una confusión, cambiaron a la directora y separaron a los hermanos. La directora anterior, con la que yo había hablado, me dijo que los reconocería porque había colgado en el cuello de ambos una gargantilla con la flor de lis. Cuando llegué, Pedro había desaparecido. Intenté seguir el rastro de sus nuevos padres adoptivos, pero estos se habían ido de Guadalajara sin destino conocido. En aquel momento en que se desmantelaba la casa de acogida todo fue un lío y no pude cumplir con el encargo. Puedo asegurarle que lo seguí buscando durante muchos años.

—¿Puede ser que ambos hermanos tuvieran diferentes apellidos?

—Sí, la mayoría de niños adoptaban el apellido Cabañas, el del nombre del hospicio, y cuando eran dados en adopción el de sus nuevas familias. A Lucía se lo cambié por el de Ketana, pronunciado así significa pequeña en hebreo.

—¿Por qué no le puso el de su padre adoptivo?

—Porque sencillamente no tenía padre. Mire, joven, era una operación delicada, yo iba a dar en adopción a Lucía a una mujer buena, pero soltera. Una mujer, Francisca, a la que conocía bien y que se iba a trasladar a vivir a Alella. Yo podría estar cerca de ellas y cuidarlas porque me iban a nombrar párroco de su diócesis. En aquellos años, las madres solteras estaban mal vistas y pensamos que lo mejor era que no llevase el apellido de la madre. Quedó en la nebulosa si Francisca era viuda y había concebido a su hija Lucía antes de la muerte de su marido. Lo arreglamos así.

—¿Lo arreglaron así? ¿Quiénes lo arreglaron?

—Yo recibí órdenes del obispado. Tenía encomendado traerme a los dos hermanos, pero solo pude llevarme a Lucía.

—¿El propio obispo le ordenó que trajera a los hermanos que estaban en el hospicio? ¿Qué interés tenía en ellos?

—Creo que estoy agotado, inspector, quizá debería haberme tomado la pastilla.

—Hay una tercera persona, un joven que parece esconderse tras la columna… ¿Lo reconoce? ¿Sabe quién es? —Julián cambió momentáneamente de tema. No quería que el párroco diera por zanjada la conversación.

El cura le pidió que le acercara sus lentes y miró la foto con atención.

— No sé quién es. Posiblemente se trate de un empleado del hospicio, un joven que colaboraba en las tareas de mantenimiento. Recuerdo que vestían de azul oscuro.

Le pareció notar los síntomas de nerviosismo que Ágata Blanco le había descrito en su entrevista, pues Dimas Pascual se acarició la frente y la barbilla, y asimismo notó cierto temblor en sus manos.

El cura entornó los ojos y pareció desconectarse de la conversación. Julián intuyó que había entrado en un terreno en el que Dimas Pascual se sentía incómodo. Su aspecto físico era bueno y se había mostrado colaborador. No creía que se sintiera mal y le insistió.

—Dígame solo quién le ordenó que se trajera a los hermanos del Hospicio Cabañas y por qué.

El párroco abrió los ojos y con un gesto rápido alcanzó el timbre para llamar a las enfermeras. Estaba echándolo de la habitación. A los pocos segundos entraba una sanitaria con brío y decisión.

—¿Qué hace usted aquí? El paciente tiene prohibidas las visitas por prescripción médica. ¡Ande, salga inmediatamente!

Julián hizo ademán de retirarse. Luego volvió sobre sus pasos y dirigiéndose al párroco le dijo:

—No sé si será el diablo, pero si hay un loco suelto y se comete un nuevo asesinato debería sentirse responsable por ello —le amenazó, convencido de que el cura sabía bastante más de lo que decía.

Su rostro se contrajo, parecía faltarle la respiración.

—Le he dicho que salga inmediatamente —dijo la enfermera—, o me obligará a llamar a la seguridad del hospital.

—No… Espere, espere —dijo el párroco—. Pregunte al secretario del obispo. Pregunte a monseñor Ibáñez. Usted sabrá cómo hacerlo. Él me dio la orden hace más de treinta años.

Tenía una llamada perdida de Barreta en el móvil y se la devolvió. Le dijo que tenía claro que el ordenador de Lucía Ketana había sido manipulado desde la productora de la televisión, al igual que se había enviado desde ahí el vídeo al comisario. Se dirigía hacia los estudios de ADN con una patrulla, con la intención de registrar el camerino de Ágata Blanco desde donde le habían grabado.

—No creo que encuentre ninguna cámara oculta, posiblemente lo hicieron desde la de un ordenador portátil que ya no estará allí, pero sería conveniente que te acercaras. Tendremos que practicar alguna detención si se confirman mis sospechas: una de las direcciones IP del ordenador que infectó el de Lucía coincide con la que utilizaron para enviar el vídeo, y ambas están en la productora —le dijo Barreta.

—Siempre aparece un resquicio por el que puede entrar el aire, ¿no es eso? El hecho de que manipularan las comunicaciones de Lucía no sería delito, porque además firmó su consentimiento. Nos sacarán los contratos otra vez, pero lo que no pueden hacer es grabar a un policía y difundir sus imágenes.

—Eso pienso yo.

Julián le puso en antecedentes sobre la conversación con el cura en el hospital.

Miró su reloj, todavía era pronto. A su madre le daban el alta en el hospital a las once de la mañana y solo eran las ocho. Estaba calibrando si pasar antes por el Obispado y luego ir a la cadena de televisión. Tenía ganas de coger por banda a Juan Mejías y a su director general.

Barreta siguió informándole.

—Hay algo más. Hablé con el forense; aunque no ha completado la autopsia de Lucía Ketana, me dijo que le extrañó una cosa: dice que ha encontrado en su piel leves rastros de polisulfuro de calcio.

—¿Y qué coño es eso?

—Pues al parecer es una mezcla de lechada de cal viva y de azufre… Vamos, un componente que se acaba convirtiendo en azufre soluble. Eso me dijo. El cura dijo que notó un olor a azufre y va a tener razón.

—Lo que faltaba, parece que Satanás va a ser el único sospechoso. Te veo en un rato. Mantenme informado.

—Espera, espera. También me ha dicho que Lucía no era virgen. Sufrió un aborto hace un tiempo. El forense está seguro. Ha encontrado adherencias en el útero producidas por un legrado mal practicado.

Embarazada. La virgen había estado embarazada. Julián ya no sabía qué pensar.

Capítulo veintiuno

$\mathcal{L}$lamó a Leire al salir del hospital de Can Ruti pero no le cogió el teléfono. Le dejó un mensaje escueto: «Quería decirte que ayer fue estupendo... y también que he averiguado que el niño que aparece junto a Lucía es su hermano Pedro y que la foto está tomada en un hospicio de Guadalajara, en México... Bien... Al fin y al cabo tú conseguiste la foto, y he pensado que debías saberlo. Un beso, te llamo luego».

Poco antes de las nueve de la mañana Julián atravesaba la puerta del arzobispado de Barcelona, junto a la catedral. Le dijeron que monseñor Ibáñez estaba a punto de llegar y le condujeron hasta una salita de espera; sobre una mesa de cristal había varias hojas dominicales y publicaciones con la imagen del Papa y del Arzobispo; leyó los titulares: «Desafíos pastorales de la familia», «Vivir la fe y edificar la comunidad cristiana»... También había tres o cuatro ejemplares de *La Vanguardia* en catalán en cuya cabecera había un tampón rojo que ponía «obsequio». Se fijó en que aparecía a cinco columnas la fotografía de Lucía Ketana con el titular: «Las campanas de Alella se tiñen de sangre», y en un subtítulo «Asesinada una concursante de *Esta es tu vida*». En el pie de foto ponía que esta había sido cedida por ADN TV. No le apeteció seguir leyendo. Frente a él había un aparato de televisión y lo encendió.

Leire apareció en la pantalla. Esta vez no estaba sobre el altillo que habían construido el día anterior, sino en un despacho que debía de pertenecer al edificio del ayuntamiento, frente a la iglesia, pues tras las cristaleras se veían el campanario y el mercado con la gente paseando con bolsas de compra por la plaza.

Prestó atención cuando dijo que iba a contar las últimas novedades del caso Ketana. Estaba más seria de lo habitual cuando explicó que a partir de la fotografía que había mostrado la noche anterior, la policía manejaba la información de que Lucía y el niño que aparecía en ella eran hermanos y que probablemente habían sido abandonados en un hospicio mexicano. Julián cayó en la cuenta de que esa información no la tenía el comisario y que eso le podía costar una bronca de su superior. Leire recuperó la imagen de los niños cogidos de la mano, que había grabado el día anterior, y el realizador la mostró a pantalla completa mientras hablaba. Ella aclaró que, de momento, ese era el único testimonio gráfico del pasado de Lucía.

Al instante sonó su móvil. Era el comisario Rojas, y lo cogió con desgana. Se imaginaba que arremetería contra él, esta vez con razón.

—Me dicen que estás en el Obispado.

Julián se quedó sorprendido. No imaginaba cómo lo podía saber. Nadie conocía que estaba allí, ni siquiera se lo había dicho a Barreta, que le esperaba en la televisión.

—¿Me ha mandado seguir?

—¿Debería hacerlo? No solo me entero por la tele de que la víctima tenía un hermano, sino que me llaman del Obispado para decirme si te tienen que atender. ¡Joder, Julián, que esto se está poniendo serio! Recuerda que te salvé el culo anoche, aún no sé por qué, pero, ¡hostias!… ¿Podrías decirme a qué coño estás jugando?

—Tengo que hablar con el secretario del arzobispo. Pedro Cabañas y Lucía Ketana eran hermanos, y fueron adoptados con la intervención de monseñor Ibáñez. Si ni siquiera sé nada de la vida de ellos veo difícil que pueda encontrar el hilo que me conduzca al móvil por el que Lucía fue asesinada.

—Ya, ¡pero, hostia, dímelo! Si los políticos saben cómo tocar los cojones no te digo los de la Iglesia. Están muy susceptibles, les he dicho que te reciban, pero a cambio de que se guarde secreto de este encuentro. Como esto salga en la tele te juro que no te salva ni tu madre, Julián. Me la estoy jugando por ti.

—Tiene razón, comisario. No volverá a ocurrir. Le mantendré informado.

—Eso espero, Ortega, eso espero. Recuerda lo que te dije de las mujeres... Esa chica de la tele es muy guapa, aunque a ver si te va a pasar como con la otra del vídeo. Puedo aceptar que caigas una vez en la trampa, pero ni un ratón vuelve a morder el mismo queso cuando ha sobrevivido a un cepo y ha estado a punto de palmarla. ¿Lo entiendes?

—Lo entiendo. Y le llamaré, se lo prometo. —Julián colgó el teléfono. En la televisión, Leire dio paso al hombre del tiempo mientras un cura con traje gris y alzacuellos aparecía en la sala para conducirle hasta el despacho de monseñor Ibáñez.

Entró en un despacho amplio y espartano. Una luz tenue iluminaba la sala y al fondo de ella, tras una enorme mesa de madera oscura, estaba monseñor Ibáñez firmando algunos papeles. Le pareció un hombre diminuto encajado en aquel mobiliario. Hasta los cuadros de San Juan de la Cruz y de Santa Eulalia que le flanqueaban colgados en las paredes parecían tener una envergadura superior a la de aquel cura. Conforme se acercaba a él, notaba que incluso sentado aparecía corcovado, y las manos venosas y ajadas le daban una imagen de senilidad que no había visto en el párroco de Alella. Y, según tenía entendido, Ibáñez era algo más joven.

Julián había oído que era una persona muy influyente dentro de la Iglesia. Cuando levantó la vista de los papeles para invitarle a sentarse frente a él no atinó a encontrar el tratamiento adecuado.

—Buenos días, señor…

—Puede llamarme padre. Los tratamientos formales son de cara al exterior y usted —miró una nota que tenía sobre la mesa—, inspector Ortega, no creo que venga a verme por razones de protocolo —lo dijo secamente y con un rictus de seriedad en su rostro.

—No le robaré mucho tiempo, padre. Solo necesito que me aclare alguna información en torno al homicidio que se produjo ayer.

—Lucía Ketana, ¿no es eso?

—Efectivamente. Estoy tratando de averiguar qué relación…

No le dejó acabar la frase.

—Usted ya sabe que tenía un hermano y que ambos convivieron en el Hospicio Cabañas de México cuando eran niños. No nos andemos con rodeos, inspector.

Realmente estaba bien informado acerca de sus pesquisas. Le pareció que iba al grano y decidió evitar rodeos.

—Sé también que fueron adoptados de forma no muy regular y que usted intervino en esa adopción. ¿Cuáles fueron los motivos que le llevaron a ello?

—Hace más de treinta años de eso. ¿Piensa usted que esas supuestas irregularidades no han prescrito? Lo verdaderamente grave es que la han martirizado hasta que halló la muerte, ¿no cree usted?

—Sí, claro, y eso es lo que estoy investigando: quién lo hizo y por qué lo hizo.

—¿Le dijeron también de quién eran hijos?

—No, no lo sé.

—El padre de Lucía y de Pedro era Mario Medel, el fundador de la congregación católica de los Mártires por Cristo. Era un sacerdote extraordinario, un santo varón que hizo grandes obras que aún perviven y siguen creciendo con el amparo de sus centenares de miembros dispersos por medio mundo. Pero el padre Medel tuvo un trastorno psíquico, su mente desvarió… Algo así como una enfermedad que se apropió de su ser y le llevó a cometer acciones impuras.

Julián recordaba el caso de Medel por haberlo leído hacía unos años en los periódicos. Lo que Ibáñez le contaba con tanta sutileza y conmiseración sabía que era un caso de pederastia de los más graves a los que se había enfrentado la Iglesia Católica. Medel cometió decenas de abusos sexuales entre los novicios de su congregación y llevaba una doble vida en la que las drogas y los excesos de lujo y fiestas, que saltaron a la luz pública, eran la nota predominante. Todo ello provocó que el papa Benedicto XVI le apartase finalmente de la Iglesia y pusiera en cuarentena la organización católica que había fundado. El inspector pensó que no era el momento de abrir esa herida, ya que Ibáñez se mostraba dispuesto a colaborar.

—¿Medel dejó en el hospicio a sus dos hijos y usted mandó que fueran adoptados?

—El Padre Medel no podía asumir su paternidad en aquellos años. Los dejó bien cuidados en el hospicio y les legó una buena dote para que no les faltara de nada. Yo fui novicio en la congregación y luego ayudante personal suyo. Era muy joven entonces, cuando me encargó que me los llevara a España. El hospicio se desmantelaba y los niños pasarían a otras casas de caridad. Hablé con el padre Pascual, al que conocí en Barcelona, y le pedí que cumpliera el encargo.

—¿A cambio de qué?

—De la caridad cristiana, ¿no le parece suficiente, inspector Ortega? Yo todavía iba a estar unos años en México, y moví los hilos para que Dimas Pascual accediera a la diócesis de Alella. Entonces la orden de los Mártires tenía gran influencia en los destinos de la Iglesia. ¿Sabe cuántos hospitales se crearon?¿Cuántas universidades y centros de enseñanza siguen en marcha gracias a la congregación?

Julián prefirió no responder. Sintió náuseas. Sabía que Medel había estafado a mucha gente y conseguido enriquecerse a través de donaciones realizadas de auténtica buena fe.

—Y Dimas Pascual entregó a Lucía a Francisca Ros porque Pedro ya no estaba en el hospicio. ¿Por qué a Francisca?

—Francisca había sido una de las mujeres consagradas por la Orden. Tenía un historial intachable y el deseo de ser madre. Me pareció bien la propuesta de Dimas. Le dimos dinero, una casa, una familia. No le faltó de nada a la pequeña Lucía.

—El dinero y la casa que han vuelto a revertir en la Iglesia una vez fallecida Francisca, el que han utilizado para poner las nuevas campanas de la iglesia —dijo Julián.

—Se lo debíamos a Dimas y a todo el pueblo.

—Tuvieron engañada a Lucía Ketana. Ella no supo quién era su padre. Le dieron una vida oscura y solitaria, la encerraron en vida entre las cuatro paredes de su casa, hasta que muerta su madre decidió averiguar su pasado y lo hizo de la peor manera posible: entrando en un concurso de televisión de máxima audiencia para que alguien la viera y le mostrase su pasado. Quizá incluso pensando en ese hermano desaparecido, quién sabe. Eso, a lo mejor, le costó la vida. ¿Por qué?

—No tengo esa respuesta. Pero le diré que Lucía tuvo una vida ejemplar en el seno de la Iglesia y del amor materno. Tuvo la mejor formación en Humanidades y se dedicó a enseñar a los demás. En cuanto a Pedro, ya sabe que le perdimos la pista. Cuando llegamos ya no estaba en el hospicio.

—¿Quién podría querer matar a Lucía? ¿Qué sabía ella que podía poner en peligro algo o a alguien? ¿Quizás a los Mártires por Cristo?

—No busque en la comunidad de los Mártires, inspector. Ya han sufrido el castigo de la ignorancia del Vaticano durante muchos años. Se están fortaleciendo poco a poco, dejando el lastre y el dolor del pasado.

—Lucía fue torturada hasta la muerte, ella sí que ha sufrido un castigo irreversible e inhumano. Creo que no me lo está contando todo, padre.

—Le he dicho más de lo que nadie sabe. Tiene que encontrar a ese asesino para que sea juzgado ante los tribunales, porque de la justicia de Dios no se escapará. Nadie se escapa. Le ruego que la información que le he dado sea guardada en secreto. No tiene sentido reabrir un tema que ya ha sido juzgado por la Iglesia.

—Tiene una particular forma de concebir la justicia, si me permite que le diga, padre: la humana, la divina y la propia de la Iglesia. Esta última creo que ha sido lenta e ineficaz con los casos de pedofilia como los de Mario Medel, por lo menos hasta ahora. Pienso que alguien de esa comunidad, de los Mártires por Cristo, puede estar detrás de los crímenes. Alguien a quien no le interesa que salga a la luz esa historia que me ha contado, pero no sé el porqué.

—Creo que se equivoca. Del padre Medel se han dicho muchas barbaridades hasta su muerte. Una más no sé si podría hacer más daño.

—No se ha dicho lo suficiente.

—Mire, inspector Ortega, he tratado de colaborar con usted en lo que he podido y he sabido. Pero no me gustaría que las buenas relaciones que la Iglesia mantiene con los estamentos civiles, a los que usted pertenece, se vieran dañadas por unas sospechas infundadas. Debe obrar con suma prudencia y cautela si quiere llevar a buen puerto su investigación. A sus superiores, como a los míos, les va a resultar una inconveniencia grave que se remueva el pasado. No quisiera tampoco que usted pudiera sufrir en su propia persona las consecuencias de una acción imprudente. Le doy mi bendición. Y dele recuerdos al comisario Rojas y al ministro del Interior.

Monseñor Ibáñez, sin moverse de su silla, hizo la señal de la cruz y por primera vez pareció esbozar una sonrisa que dejó al descubierto parte de una dentadura blanca y reluciente que a Julián se le antojó postiza.

Capítulo veintidós

*B*arreta estaba esperando en la salita frente al despacho del director general de ADN TV cuando llegó Julián. Le confirmó que desde el ordenador del departamento de producción se había manipulado el de Lucía Ketana.

—No hay duda, desde aquí se configuró la página de Afroditha, la de Facebook, los correos personales y los chats de Lucía… Todo. Se llenaron páginas con perfiles falsos de ella, se suplantó su personalidad y lo están haciendo con otros concursantes.

—¿Y el vídeo que me grabaron?

—También, aunque como imaginaba, no había ninguna cámara oculta. Fue la propia cámara de un portátil que estaba en línea con el ordenador de producción. El rastreo de las direcciones IP no deja duda alguna.

—¿Qué dice Mejías?

—No he podido verle. Dicen que no está en el edificio. He pedido ver a Palazzi.

—¡Vamos! —Julián salió de la salita y cruzó a toda velocidad el pasillo en dirección al despacho de Palazzi; Barreta le siguió.

La secretaria puso cara de sorpresa ante la irrupción inesperada de los policías, que entraron en el despacho de su jefe como una exhalación.

Dentro estaba Palazzi reunido con Mejías y el jefe de programas, Víctor Comella. Parecían divertidos y sonrientes escuchando al director general, pero enmudecieron de golpe al verles entrar sin llamar a la puerta. Palazzi cambió su semblante alegre por el del tic de su bigote en décimas de segundo.

—Buenos días, señores, creo que me van a tener que acompañar a la comisaría y posponer por algún tiempo su reunión —dijo enérgicamente Julián.

—¿Traen una orden de detención, inspectores? —preguntó Palazzi, intentando disimular su nerviosismo y aparentar frente a sus colaboradores que lo tenía todo bajo control.

—Tenemos evidencias fundadas de que han cometido varios delitos contra la intimidad accediendo ilegalmente a las comunicaciones de terceros.

—¿Ah, sí? ¿Y cuáles son esos delitos? ¿No cree que eso ya se lo hemos explicado? Se van a meter en un berenjenal y les va a caer un buen puro.

—Léeles sus derechos, Fernando —dijo Julián haciendo caso omiso de las amenazas.

Barreta empezó a recitar el artículo correspondiente de la Ley de Enjuiciamiento Criminal:

—Tienen derecho a guardar silencio y a no contestar si no quieren…

—Espere, espere… —interrumpió—, díganme exactamente de qué se nos acusa.

—Tenemos pruebas de que falsearon la información de las redes sociales de Lucía Ketana y de que manipularon su teléfono móvil y sus correos. Espero que en comisaría puedan contarme todo lo que saben, porque aparte de un delito grave contra la intimidad de las personas añadiré el de interferir en la investigación de un homicidio. Les acuso del delito de obstrucción a la autoridad: grabaron sin mi consentimiento el interrogatorio de la testigo Ágata Blanco y difundieron el vídeo con ánimo de impedir que siguiera investigando el caso. De momento eso es suficiente para que les meta en el furgón de la policía que está esperándoles abajo.

—No sé a qué se refiere, inspector, tenemos la documentación en orden. Los contratos con Lucía Ketana nos permitían acceder a sus cuentas. Esto es un concurso, Ortega, no una trama de espionaje. No tiene maldad alguna. Está llevando las cosas demasiado lejos.

—Hablamos de un asesinato, Palazzi. Una persona inocente que ha sido burdamente manipulada por ustedes, y espero que acaben confesando con qué fin lo hicieron.

—Mire, siento mucho esa muerte, pero no tiene que ver nada con nosotros. Es como si porque trasmitiéramos un Barça-Madrid los clientes de un bar se liaran a tiros porque son de equipos contrarios: los muertos no me los puede cargar a mí.

—Es usted un simple, por no decir un cretino. Para usted todo vale por la audiencia, pero en este caso han pasado los límites de lo legal. Con sus cámaras, me grabaron en el camerino de Ágata Blanco para hacer llegarle el vídeo a mi jefe y no sé si a alguien más, ¿también forma parte eso de su concurso?

—Puede que haya habido un error —intervino Mejías—, grabamos las interioridades del programa para dar píldoras informativas a lo largo del día. Es una fórmula que se emplea en muchos espacios televisivos de éxito. Esas imágenes se montan adecuadamente y forman parte de nuestra programación. Hay varias cámaras que graban en diferentes lugares. Están entre el público, en el *backstage* y también en los camerinos, pero no utilizamos imágenes de terceros. Si alguien ha manipulado uno de los recortes en los que aparece usted me ocuparé de averiguarlo. No hemos emitido nada de eso.

—Oiga, Mejías. Son sus ordenadores los que jaquearon el de Lucía Ketana, los que falsificaron y manipularon la historia de Lucía, los que me grabaron y enviaron un correo a mi comisario. No se trata de un error sino de una acción voluntaria e intencionada. Crearon un virus informático, un troyano con una falsa dirección que contaminó el ordenador de Lucía, y así le recrearon una vida falsa. Todo estaba bajo un guion perfectamente estudiado para engañarla a ella y al espectador. Todo por su maldita audiencia. Es falso que alguien fuera a ir al plató a certificar una historia que era una sarta de mentiras, porque sencillamente ese alguien no existía nada más que en sus mentes enfermas y en sus puñeteros ordenadores. Sin embargo, sí que hubo una persona que salió del plató en cuanto reconoció a Lucía. ¿Quién era? No puedo creer que no tengan controlado quien entra o sale en un programa de televisión.

—Supe que había algo entre ese hombre y Lucía. —Mejías se sonrojó—. Lo supe más tarde, porque él la esperó a la salida. Entró en el plató con el público y se sentó en los asientos reservados para nuestro patrocinador. En el momento en que hicimos un corte para iniciar la entrevista con Lucía, ese hombre abandonó su asiento y, sin que se apercibiera el regidor, dio la vuelta por detrás del plató y se situó en el *backstage*. Yo me percaté desde mi puesto junto al realizador, pero cuando fui a llamarle la atención salió huyendo cojeando.

—¿Le siguió?

—Sí, estaba en el jardín, fumando y departiendo con el jardinero, parecían tener una conversación amigable, como si se conocieran, así que no le dije nada en ese momento, preferí esperar a que acabaran. Al poco salió Lucía y él fue a su encuentro con rapidez; no sé lo que hablaron, pero los vi abrazarse al cabo de dos minutos. Me dirigí hacia ellos. Recuerdo que de pronto se hizo un ruido ensordecedor porque el jardinero volvió a encender el maldito cacharro para fumigar las palmeras. Les dije, voz en alto, que me acompañaran adentro para hablar, y se negaron. Salieron juntos, corriendo en dirección a la calle.

—Te estás excediendo en tus explicaciones —terció Palazzi—. No digas nada que te pueda perjudicar, Juan. Que se nos despistara alguien del público no es un delito, y me parece que el inspector no tiene nada sustancial contra no-sotros. Fue todo una casualidad, nadie se imaginaba que iban a coincidir en el programa esos hermanos.

—Nadie ha dicho que fueran hermanos —dijo Julián—. ¿Cómo sabe que lo eran?

—Yo… No sé, creo que en algún momento se ha dicho. No sé, seguro que lo he oído en alguna parte. Inspector, me está acosando.

—¿Fue Pedro Cabañas, el hermano de Lucía, el que estuvo en el plató? ¡Respondan!

Los directivos se miraron en silencio. El jefe de programas, Víctor Comella, que había estado callado hasta ese instante, habló al fin.

—Yo no tengo nada que ver con todo esto. Mi trabajo es de pura dirección administrativa, de coordinación con la productora de Juan. Fue él —señaló a Mejías— quien les oyó decir que eran hermanos. Yo revisé los nombres de los invitados de Simentia, nuestro patrocinador, y sí, ese tipo que se coló en el estudio se llamaba Pedro Cabañas.

—Eres un gilipollas, Víctor. Siempre lo has sido —le espetó Palazzi.

—Quiero que se les tome declaración a los tres en la comisaría —intervino Julián—. Pueden pedir que les asista un abogado y todo eso, pero no quiero que sigan ni un minuto más al frente de este tinglado hasta que se aclaren las cosas. Pueden acompañarme voluntariamente o, de lo contrario, me veré obligado a detenerles.

—¿Ahora mismo? —preguntó Marcos Palazzi.

—Ahora mismo —confirmó Julián rotundo.

Los tres directivos salieron del despacho junto a los policías. Palazzi se dirigió a su secretaria con sequedad y le dio instrucciones para que avisara a su abogado y que este le llamara a su teléfono móvil.

En la entrada esperaban un furgón de la policía y un coche patrulla. Palazzi, Mejías y Comella subieron a la furgoneta. Una veintena de empleados contemplaba la escena de la detención de sus directivos. Julián vio entre ellos a Ágata Blanco, que disimuló bajando la vista. El policía volvió sobre sus pasos y se dirigió a ella.

—Creo que, de momento, su *show* se ha acabado —le dijo en tono despectivo.

—Inspector, lo siento. Yo no sabía que Leire era su chica. Yo no quería hacerle ningún daño. Me ha llamado y me ha contado lo del vídeo. Le aseguro que si lo llego a saber no me presto a ello. No soy de las que piensa que todo vale… ¿Me cree?

—No importa lo que yo crea. Pero nada de lo que usted hace es creíble. Volveremos a vernos.

El furgón salió a toda velocidad en dirección a la comisaría. Eran cerca de las doce del mediodía. Julián llamó al hospital y le dijeron que a su madre la habían dado de alta y ya no estaba en la habitación. Cuando preguntó si alguien la había pasado a recoger le dijeron que se había marchado con Leire Castelló.

Capítulo veintitrés

*J*ulián entró en el despacho del comisario. Rojas estaba absorto consultando su ordenador y dejaba que uno de los dos teléfonos que tenía sobre la mesa sonara sin hacer ademán de cogerlo. Cuando se percató de la presencia de Julián, bajó la tapa del portátil y le miró cariacontecido.

—Este teléfono solo lo tienen unos pocos. —Señaló el que acabó por dejar de sonar—. Los que llaman a este número no suelen llamar para darme buenas noticias. Puedo adivinar, por ejemplo, que o es el consejero de Interior o el secretario del Obispo. ¿Quién crees que puede llamar a la hora de comer?

—He tenido que detenerles. Si están en sus puestos en la televisión acabarán por eliminar pruebas. No puedo exponerme a ello —dijo Julián, adivinando por dónde quería conducir la conversación su jefe.

—Ya, pero supongo que eres consciente de que saldrán en pocas horas de aquí. Palazzi tiene un ejército de abogados. Quiero decir que o tienes el tema amarrado o nos cae encima el peso de los medios de comunicación y hasta el de la Iglesia. ¿Crees que vamos a poder con todos ellos?

—Necesito tenerlos apartados aunque no declaren. Además, hay uno que quiere salvar su culo y acabará por hablar. En cuanto al párroco y al secretario del Obispo, no me están contando todo lo que saben. Creo que he sido condescendiente con ellos. Estamos en el buen camino, comisario.

—Bien, Dios te oiga, y nunca mejor dicho, porque el Obispo ha llamado al ministro de Interior y este dice que dejemos de incordiarles. Parece que ahora son colegas y van de la mano con lo de la ley del aborto y todo eso. Hasta han publicado una homilía en la que la Iglesia felicita al gobierno por estar sacándonos de la crisis. Espero que tengas algo sólido, porque de lo contrario nos van a condenar al infierno.

—Creo que la clave está en los Mártires por Cristo. La madre de Lucía perteneció a esa orden, el secretario del Obispo también, quizá el párroco de Alella... Tienen dinero y poder como para que nada ni nadie se interponga en su camino. Lucía era hija del fundador de esa congregación.

—Y va la Iglesia y, como en los tiempos de la Inquisición, la martiriza hasta la muerte. ¿Has leído demasiadas novelas de Dan Brown o es que yo no acabo de ver la conexión?

—Reconozco que no lo tengo claro. Solo sé que dos hermanos, hijos de un pederasta fundador de una congregación poderosa, se reencuentran en un programa de televisión y que la chica acaba asesinada; y cuando pregunto en el seno de la Iglesia no obtengo respuestas claras, solo amenazas de que vaya con cuidado de no airear un pasado que a nadie conviene.

—Pues ahí lo tienes. El que dicen que era su hermano es nuestro principal sospechoso.

—No lo creo, pero tenemos que buscarlo. Posiblemente fue el último que la vio con vida. ¿Pero por qué motivo iba a cometer un crimen tan execrable con su hermana?

—Te voy a decir algo: yo estudié cinco años en un colegio de los Mártires por Cristo. Cuando vivíamos en Madrid, mi madre se empeñó en que mi hermana y yo cursáramos el bachillerato en un centro con disciplina católica que tenía muy buena reputación entre sus amigos. No tuve ningún problema, pero a veces pienso que menos mal que mi madre ya había fallecido cuando una investigación canónica de la Congregación para la Doctrina de la Fe, enviada por el Papa hace unos años, comprobó todo el historial de abusos sexuales de su fundador, el padre Medel. Yo no sufrí abusos ni extorsiones, pero desde entonces no me he acercado a una iglesia y he aprendido a temerla.

— No lo sabía. ¿Temerla? ¿Por qué?

—Con las denuncias que se produjeron cualquiera hubiera entrado en la cárcel por una buena temporada. A Medel le ofrecieron un retiro dorado en Estados Unidos. La Iglesia ha reconocido, de momento, más de cuatrocientos casos de curas pederastas, y ¿cuántos han pisado la trena? Ahora el Vaticano, por primera vez en su historia, ha aceptado comparecer ante el Comité de los Derechos de los Niños y dice que va a aplicar la tolerancia cero en los casos de los curas pederastas. Lo de siempre: hay que olvidar el pasado y ya tomamos nota para el futuro.

—Eso es lo que de alguna manera me dijo el secretario Ibáñez. Que no debía remover el pasado.

—Monseñor Ibáñez recibió una llamada del hermano de Lucía, ese Pedro Cabañas le amenazó con contar la historia y quizá con algo más grave. El secretario me dijo que estaba fuera de sí y que no le extrañaría que hubiese hecho una locura. Debes encontrar a ese tipo. Está en Barcelona. Pero deja de mezclar a la Iglesia en todo esto.

—¿Cree que no debo investigar en esa congregación? ¿Por qué no me contó lo de la llamada de Cabañas? —Julián estaba sorprendido de que el comisario le hubiese ocultado información.

—Creo que con la Iglesia hemos topado. O los coges con las manos en la masa o debes dejar de especular. ¡Pruebas!, quiero pruebas sobre mi mesa, no meras especulaciones. Con eso no se juega. Y con los otros, con los de la tele, te sugiero que los lleves ante el juez. Si tenemos suerte, en el mejor de los casos les imputará un delito de obstrucción a la autoridad y les dejará marchar con una fianza ridícula o sin ella. A lo mejor impedimos con eso que sigan campando a sus anchas —dijo Rojas, que no quiso contestarle a su pregunta.

—Entendido, no se preocupe.

Julián se sentía derrotado. Salió del despacho de Rojas para dar instrucciones a Barreta y que los detenidos fueran conducidos ante el juez.

Cuando entró en una de las salas de interrogatorios, Palazzi y Mejías le miraron con cara de desprecio y suficiencia. Uno de los abogados que los acompañaban le anunció que iba a emprender acciones contra él por abuso de autoridad y denuncia falsa. Julián apenas le prestó atención, y se dirigió a la otra sala, donde estaba el jefe de programas, Víctor Comella, al que había tenido la precaución de separar de su jefe.

—Bien, señor Comella, le vamos a llevar ante el juez de guardia para formular la denuncia. No es necesario que diga nada aquí.

Comella parecía aterrado.

—Inspector, yo no tengo nada que ver con todo esto. La idea del programa es mía, pero yo no entro en cómo se produce. Es cierto que debíamos haberle dicho en nuestra primera entrevista que Lucía se vio con su hermano Pedro, pero yo no quise implicar a la empresa... Y me juego el puesto en la cadena.

—¿A qué empresa se refiere?

—A Simentia. Es nuestro patrocinador principal: pone más de trescientos mil euros por cada programa y además... —Comella se calló.

—¿Además qué?

—Tiene que prometerme que no dirá a nadie que yo se lo he dicho.

—No está en condiciones de pedirme nada.

—Está bien, está bien. Debería averiguar por usted mismo quienes están detrás de esa empresa.

—A lo mejor me lo puede adelantar usted.

—Simentia no es solo un gran anunciante de ADN TV, sino que también es uno de sus accionistas. Marcos Palazzi es el presidente de la compañía y su mujer, María Torres, dicen que es la accionista mayoritaria, que heredó de su padre la empresa de semillas.

—¿Y qué tiene que ver todo esto con Lucía y su hermano Pedro?

—No lo sé, pero Pedro Cabañas es un activista contra las prácticas de Simentia. Vino a verme dos días antes de que emitiéramos el programa para pedirme que rechazáramos el patrocinio de *Esta es tu vida*. No sé cómo se hizo con una invitación, pero vino al programa a boicotearlo, estoy seguro.

—Vino al programa para protestar contra Simentia. Llevaba una pancarta que no llegó a exhibir y que dejó abandonada —dijo en voz alta Julián recordando la imagen de la cinta que había escudriñado fotograma a fotograma.

—Sí, eso es. Pretendía desplegarla en medio del escenario; decía algo así como «Simentia: las semillas asesinas». Rodeó el plató porque sabía que los regidores le hubieran impedido el paso al escenario y cuando se dispuso a entrar desde las bambalinas es cuando, no sé cómo, reconoció a su hermana Lucía.

Aquella versión de los hechos encajaba con lo que había visto Julián en la cinta de vídeo del programa.

—Por la flor de lis —dijo en voz baja el inspector.

—¿Qué quiere decir?

—Nada. Que reconoció a su hermana cuando vio que llevaba colgada al cuello una cadena con la flor de lis —repitió pensativo Julián—. ¿Y usted no le dijo nada a Palazzi? ¿Le debió informar de que alguien pretendía boicotear el programa?

—Sí, lo supo desde el primer momento. Mejías y yo se lo comentamos.

—Lo cierto es que no hubiera trascendido porque *Esta es tu vida* se emite en falso directo, es decir, con varios minutos de retraso, así que cualquier incidente que se hubiera grabado habría acabado desapareciendo de la emisión. ¿No es cierto?

—Sí, así es. No podemos correr riesgos con un riguroso directo.

—¿Y qué dijo Palazzi del incidente?

—Bueno, él dijo que no tenía importancia, pero oí cuando salía del despacho cómo pidió a la secretaria que le pusiera con su mujer. Todos creemos que la que lleva los pantalones es ella. Ella es la dueña, o por lo menos eso dicen. —Le hizo una mueca de complicidad, que Julián correspondió con una sonrisa para que se sintiera cómodo y se siguiera explayando en explicaciones—. No digo que él sea un títere, pero es que haciéndole la rosca a su mujer se puede permitir ciertos escarceos.

—No le entiendo, ¿a qué se refiere?

—Bueno, en este negocio hay muchas mujeres que harían cualquier cosa por salir en la tele. Ya no le digo a lo que estarían dispuestas por presentar un programa de máxima audiencia. Si eres el que manda puedes pedirles lo que sea.

—¿Ágata Blanco?

—Es una de sus amantes. Entró como una brillante periodista de investigación, con muchas inquietudes y todo eso pero con un sueldo miserable, y hoy es la estrella de ADN TV y la mejor pagada.

—¿Fue Palazzi el que ordenó que me grabaran con la presentadora en su camerino?

—Aquí no se hace nada que no conozca Palazzi. Creo que Mejías le podría responder mejor a eso.

—Voy a dejarle en libertad sin cargos, señor Comella, pero le tendré controlado. Llámeme inmediatamente si tiene información sobre este asunto.

—Por supuesto, descuide, inspector, así lo haré.

Víctor Comella cambió su semblante apesadumbrado por una media sonrisa nerviosa. A Julián se le antojó un pusilánime capaz de vender a cualquiera, pero le pareció que no corría riesgos al dejarlo en libertad.

Un cabo de la policía le acompañó a la salida de la comisaría. Julián miró el reloj y pensó que debería ir a visitar a su madre.

Capítulo veinticuatro

Leire le abrió la puerta del piso. Cuando Julián fue a besarla apartó la cara con un gesto adusto y habló en voz alta hacia el interior de la casa.

—¡Luisa, es tu hijo! Ha venido Julián. —Luego se volvió hacia este y prosiguió casi indiferente—. Tu madre está en la cocina, se empeñó en que me quedara a comer y está preparando algo.

Julián estaba confundido con el comportamiento de Leire.

—¿Se puede saber qué te pasa? —le dijo en el pasillo con voz tenue para que su madre no lo oyera.

—¿A mí? Nada, ¿por qué habría de pasarme algo?

—¡Ven, hijo, ven! Tengo que sacar esto del fuego o se me quemará —gritó su madre desde la cocina.

—Mamá, ¿por qué no descansas? —Le dio dos besos—. Siento no haber llegado al hospital. Calculé mal el tiempo, y...

—Anda, deja ya de disculparte. Leire me vino a ver, ya me contó que estabas muy liado y que quedasteis en que ella pasaría a recogerme. No os teníais que haber molestado ninguno de los dos. Podía haber cogido un taxi. Me sabe mal dar trabajo.

Julián miró a Leire, que estaba apoyada en el quicio de la puerta de la cocina contemplándolos y bajó la vista ruborizada.

—Bueno, esto ya está. Menos mal que tenía estofado de ternera congelado. Lo hice la semana pasada. ¡Venga, todos a la mesa! —ordenó con una sonrisa la madre de Julián.

—¡Mmmhh! Huele de maravilla, Luisa… Pero ahora que ha venido Julián será mejor que me vaya. Tengo que ir a la televisión. Estos días son un infierno y anoche no pasé por casa…

Julián confirmó que algo no iba bien con Leire.

—¡Por favor, quédate! —Julián lo dijo en un tono que a ambas mujeres les pareció una súplica, un tono bastante poco habitual en él.

—Sí, comamos juntos, no hay nada que no pueda esperar media hora, ¿verdad? —reclamó Luisa.

—Está bien, pero tengo que irme enseguida.

Sentados a la mesa, Julián sirvió el estofado, que acompañaron con una ensalada de tomate. Leire estaba en silencio y él la examinaba con la mirada, sin acertar a saber qué estaba pasando por su cabeza.

—Bueno, chicos, esto parece un funeral. Pensaba que os alegraríais de verme fuera del hospital. A ver si va a resultar que había más marcha ahí, entre algodones y jeringuillas. ¿Qué os pasa?

—Nada, mamá. ¿Qué va a pasar?

—Llevamos unas horas muy ajetreadas. En especial su hijo, ¿verdad, Julián? —dijo Leire, mirándole de soslayo.

—Tú también llevas lo tuyo —terció Luisa—, te vi anoche hasta la una y esta mañana a las nueve ya estabas como una rosa en la tele. No sé cómo aguantas ese ritmo. Debes cuidarte, y no sé yo si tanto maquillaje y a todas horas te va a echar a perder ese cutis tan precioso que tienes.

—Sí, me tiene que dar el secreto para conservar esa piel tan suave y tersa que tiene usted —dijo ella sonriendo zalamera.

—¡Ay, niña! Toda mi vida me he lavado la cara con agua y jabón. Máximo me pintaba las pestañas y me pellizcaba los mofletes para darles color. A mi marido no le gustaba que me pintara los labios siquiera, decía que los cosméticos estaban hechos con grasas de animales y yo que sé que más… Eso de trabajar para un laboratorio farmacéutico le hacía tener muchas prevenciones.

—Y seguramente tendría razón. Hasta la ropa que nos ponemos está hecha con productos tóxicos. La fabrican en países como China o India, donde no tienen suficientes controles. Una compañera de los informativos está haciendo un reportaje sobre ello. Resulta que nos estamos vistiendo con tejidos que pueden alterar nuestras hormonas…

—Si es que tendría que haber más denuncias sobre lo que nos están colocando. Vosotros los periodistas sois los que tenéis que contar todas esas cosas, pero entiendo que si luego sale un anuncio de un perfume o de unos grandes almacenes que venden esos vestidos os tenéis que callar, porque en el fondo vivís de ellos en la tele —Luisa lo dijo comprensiva y sin acritud.

—Ya. Pero no todo vale. El interés general está por encima de un *spot* publicitario. O así debería ser, de lo contrario la gente se siente engañada y deja de verte, y en cuanto eso pasa, el anunciante también se retira: sin audiencia no hay publicidad —dijo Leire muy reivindicativa.

Julián se mantenía callado escuchando atento la conversación. Podría haber estado perfectamente a mil kilómetros de distancia y ellas quizás hubieran notado más su ausencia. Se sentía ignorado y hasta culpable por algo que no sabía lo que era.

—Anoche llevabais muchos anuncios —continuó Luisa—, eso quiere decir que os vimos mucha gente. La Blanco no paraba de decir eso de: «Lo sabremos después de la publicidad» y, ¡hala!, otros ocho minutos de anuncios. Se hace pesado… ¿Qué tal te llevas con ella?

—¿Con ella?

—Sí, con Ágata Blanco. Parece muy lista y tiene mucho desparpajo, pero me pareció que ayer al final estaba un poco... un poco como picada contigo. A lo mejor son cosas mías. No hagas caso.

—Sí que estuvo borde al final, pero a lo mejor tenía algo de razón. Yo me precipito a veces al sacar conclusiones y ella..., bueno, a ella se le disculpa todo porque en el tipo de *show* que hace todo vale, pero quizá su hijo, que la conoce bien, tenga otra opinión, ¿verdad, Julián?

Las miradas de las dos se volvieron hacia Julián, que intentó ganar tiempo dando un sorbo a su copa de vino. Tuvo la sensación de que su cerebro estaba al ralentí y no procesaba a dónde le quería conducir Leire.

—Apenas la conozco, creo que juega su papel —acertó a decir.

—Sí, lo juega a fondo y con todas sus armas, ¿no es cierto? —dijo Leire señalando su teléfono.

Julián dedujo que le había llegado el correo con el vídeo de Ágata Blanco.

—Te dije que fueras con cuidado con el teléfono y con los correos. Sé que hablaste con ella.

—Tú lo sabes todo, ¿no es eso? La poli lo controla todo... ¿También los sentimientos de los demás?

—No sé qué pasa entre vosotros. No es asunto mío, pero seguro que no tiene importancia. ¿Es porque los dos estáis con el tema ese del asesinato de Lucía? Cada vez que os une un caso acabáis a la greña. No tiene sentido, ¿no es mejor que colaboréis cada uno desde vuestra parcela? Para mí sois los mejores, deberíais formar un equipo. Los dos juntos podéis encontrar al asesino. —Esta vez Luisa empleó un tono de reprimenda que a ambos los dejó pensativos.

—Mamá, no es tan fácil —dijo al final Julián—, lo que menos interesa durante la investigación de un crimen es hacer ruido. Hay un asesino suelto que podría volver a matar. He conocido casos en que el homicida se siente como un héroe cuando sus crímenes se airean distraídamente en los medios de comunicación. Este pudiera ser uno de ellos. Hay que actuar con discreción.

—¡Mira quién habla! —saltó Leire—, un policía que ha arrestado a la plana mayor de una cadena de televisión y que se enrolla con una presentadora famosa... ¿Es eso actuar con discreción? ¿Sabes que eres noticia en todos los digitales? Imagino que el asesino estará bien ufano de haber conseguido que los únicos detenidos sean personas relevantes de la tele.

—Había razones para ello —replicó Julián, sorprendido una vez más por la reacción de Leire.

—Ya, pues me han dicho que los habéis soltado en una hora. No entiendo entonces por qué dejaste un mensaje diciéndome que los de la foto eran hermanos... ¿Me das informaciones que luego no quieres que aparezcan? No me dijiste que no pudiera utilizarla.

—Tienes razón, esto se está complicando y no me gustaría ponerte en peligro. Creo que me he precipitado.

—No soy una kamikaze, Julián, pero no me voy a apartar de este caso simplemente porque tengas la sensación de que puede ser peligroso. Es lo que me toca como periodista, y descubrir la verdad tiene sus riesgos. Además, puesto que es preferible que no corra aventuras innecesarias sería mejor que me contaras lo que creas importante o lo acabaré descubriendo por mí misma —volvió a mirar su teléfono—; deberías confiar en mí en lugar de intentar protegerme.

—No sé muy bien de qué habláis, pero creo que Leire tiene razón —intervino Luisa—, los dos os podéis ayudar. A veces trabajas como un lobo solitario, y eso no es bueno.

—Mirad, no estoy dispuesto a seguir con esta conversación. —Julián, con cierta sensación de animal acorralado, hizo ademán de dejar los cubiertos sobre el plato de estofado.

—¡Anda, come! —ordenó su madre conciliadora—, si lo digo por tu bien. No quiero que te enfades. A veces hablar de lo que uno está pensando hace que las cosas se vean de forma diferente, sobre todo si lo haces con personas que te quieren. Y nosotras te queremos, ¿verdad, Leire?

—Déjelo, Luisa, no le va a cambiar. Es un tozudo. No quiere entender que a los demás también nos gusta compartir sus inquietudes.

—Está bien, está bien. ¿Dónde tienes el libro ese de los santos mártires? —dijo Julián cambiando de tercio y dirigiéndose a su madre, mientras Leire ponía cara de sorpresa.

Luisa se levantó de la mesa y fue hacia una de las habitaciones de la casa. Al momento regresó con un libro antiguo con las tapas negras de cartón que se ondulaba por las esquinas. Se lo dio a su hijo. Leire se aproximó a Julián para verlo mejor.

—Cuando me lo comentaste en la clínica hice memoria y supe dónde lo había escondido.

En la portada había una imagen de un crucifijo del que brotaba una gota de sangre y debajo, con letras de imprenta grabadas en rojo, se podía leer: «Mártires por Cristo, escrito e ilustrado por el siervo del Señor padre Justino Salvia, 1956». Julián sintió una extraña sensación, pues no recordaba que el título de aquel libro fuera el mismo que el de la congregación que fundó el cura pederasta.

Abrió con sumo cuidado el tomo. En la introducción había un escrito del papa Pío XII y luego aparecían en cada una de las páginas una serie de dibujos a tinta de los diversos santos y su correspondiente martirio. Debajo de las ilustraciones, híperrealistas, había una breve explicación de la vida y martirio del santo.

Era un volumen de cuatrocientas páginas que compendiaba buena parte del martirologio cristiano hasta la fecha de publicación del libro. Julián consultó el índice onomástico y lo abrió por la página de Lucía de Siracusa. La santa aparecía con las cuencas orbitales vacías sosteniendo un plato que contenía sus ojos. La mirada vacía le sobrecogió y lo trasladó a su niñez, cuando miraba a hurtadillas aquel libro macabro. Sin embargo ahora lo estudiaba con otra intención: ¿Habría en él alguna pista que le condujera al asesino?

—¿Qué buscas ahí? ¿Crees que tiene relación con la forma en que mataron a Lucía? —preguntó Leire.

—Es horrible —intervino Luisa—. Yo le dije a Julián que su vida era calcada a la de Lucía de Siracusa, que leí en este libro. Su madre estaba enferma y la santa la cuidó hasta su muerte, convenciéndola de que donara todos sus bienes a los pobres.

—Y era virgen y no quiso casarse con el pretendiente que le había buscado su madre —añadió Julián resumiendo lo que había leído en el libro.

—Es verdad. Es demasiada coincidencia —dijo Leire pensativa.

—Hay algo que no coincide. Sabemos que Lucía no era virgen. El forense lo ha certificado. Tuvo relaciones sexuales y hasta un aborto según el médico.

—Pero estaba soltera y esgrimió su virginidad en el programa —matizó la periodista.

—Sí, dijo que su vida estaba dedicada a Dios y que no contemplaba el matrimonio. Si dijo la verdad es que tuvo relaciones sexuales no consentidas.

—¿Crees que fue violada? —preguntó Leire.

—No lo sé. Hay algo más, este libro se titula igual que la orden religiosa que creó el pederasta Mario Medel en México: Mártires por Cristo. Estuve con el párroco de Alella y con el secretario del obispo. Medel era el padre de Lucía y de Pedro. Los abandonó en un hospicio y monseñor Ibáñez intercedió para que fueran adoptados. La fotografía que me diste está tomada en el Hospicio Cabañas de Guadalajara.

—¡Dios santo! —exclamó Luisa.

—Esa orden está fuera de la Iglesia. Recuerdo que Medel fue apartado por Benedicto XVI hace solo unos años. Tenía un entramado de bienes multimillonario, fue un verdadero escándalo —dijo Leire, que intentaba recordar los detalles de aquel caso—. Sin embargo, recuerdo que solo tenía una hija y que se casó en Barcelona con gran boato. Entonces salió a la luz que el padre Medel tenía una doble vida: mujer e hija en España y otra familia en México.

—Tengo la sensación de que esta congregación no está tan apartada de la Iglesia como oficialmente se dice. Creo que siguen conservando el poder de algún modo… Demasiado interés por poner palos en las ruedas a la investigación —dijo Julián.

—Puedo investigar acerca de los Mártires por Cristo. ¿Crees que estamos ante un crimen cometido por alguien de esa organización católica?

—No lo sé, la madre adoptiva de Lucía pertenecía a ella. No creo que me sea fácil investigar dentro de esa congregación. Además, seguro que el comisario acabaría por apartarme del caso. Hoy he recibido un par de advertencias, de él y del propio secretario del Obispo.

—Pero yo, a lo mejor, sí podría recabar información discretamente acerca de sus actividades. —Leire se mordió los labios pensativa.

—¿Tú? ¿Cómo?

—Déjalo, eso es cosa mía.

—No quiero que te metas en un lío. Te prohíbo…

—¿Me prohíbes qué?

—Nada, no quería decir eso. Solo que vayas con cuidado, no quiero que te pase nada. —Julián la miró de un modo tan intenso que Leire no pudo evitar un cierto rubor, a pesar de que todavía se sentía disgustada con él—. Si investigas a fondo busca una compañía que se llama Simentia, es una empresa de semillas transgénicas en la que tiene intereses la Orden. Pedro Cabañas está en contra de ella.

Julián sintió que aquella comida en casa de su madre se había convertido en una encerrona. Se sentía absurdamente culpable por el vídeo de Ágata Blanco que había visto Leire. No sabía qué habrían hablado entre ellas, pero su posición era realmente incómoda y no tenía ganas de seguir discutiendo.

Volvió a mirar en el libro y tuvo una corazonada: buscó en el índice de los martirios la lista de todos los Pedros. Había cuatro: Simón Pedro, el apóstol; Pedro de Alejandría; Pedro de Rates y Pedro de Verona. El discípulo de Cristo murió crucificado cabeza abajo y los dos siguientes lo hicieron decapitados. Pedro de Verona, en cambio, acabó con la cabeza partida de un hachazo, una puñalada en el pecho y la lengua seccionada. Todo aquello le pareció inquietante. Al cerrar el libro se dio cuenta de que una de las páginas estaba marcada con un punto de lectura. El reverso era una estampilla religiosa del arcángel San Gabriel con una gran espada, derrotando al Diablo salido de una ciénaga.

Capítulo veinticinco

*L*eire había quedado a media tarde con Raúl Viedma. Se citaron en La Taverna del Born y tomaron asiento en una de las mesas de la terraza del paseo, bajo una estufa de pie que no calentaba lo suficiente como para desprenderse de los abrigos. La mayoría de clientes eran extranjeros. Unas chicas con aspecto de rusas vestían primaveralmente, sin medias y con zapatos abiertos, y no parecía importarles el relente que hacía que la temperatura comenzara a descender. Leire sintió escalofríos solo de verlas y pensó que los chupitos de vodka que se tomaban las mantenía templadas y animadas. Estuvo tentada de imitarlas pero al final pidió el café con leche.

Raúl Viedma conservaba su aspecto físico casi infantil, a pesar de que se había dejado una imperceptible barba rubia. Llevaba las mismas gafas redondas que cuando le conoció, hacía dos años, y su frente y nariz sonrosados por el frío se tornaron aún más rojizas cuando Leire le dio dos besos. Seguía sin poder controlar la timidez.

—Me alegro mucho de verte, Raúl, y te agradezco que hayas podido venir tan pronto. Estás muy guapo. Te queda bien la barba.

—¡Oh!, gracias. Tú también te ves bien. La barba es para ver si con este aspecto me toman en serio algunos inversores a los que he estado viendo últimamente. —Sonrió con modestia.

—¿Inversores? ¿Para qué?

—Sigo con lo mío, ya sabes, el periodismo de datos. Estoy metido en un par de proyectos con un equipo de gente y necesitamos recursos para seguir avanzando. El *crowdfunding* nos ha aportado los ingresos iniciales de los proyectos, pero son insuficientes para consolidarlos. Le estamos echando muchas horas a los desarrollos informáticos y creo que dentro de un tiempo tendremos la mejor plataforma de captura y procesamiento de información. Buscar dinero fuera es una necesidad, pero también un inconveniente: la mayoría de inversores quieren que a cambio les cedamos parte de la tecnología y tenemos que estar seguros de que no la utilizarán con fines contrarios a los que perseguimos.

—Ya, me imagino que la gente no da nada por nada.

—Les intentamos convencer de que participar en un proyecto sobre el control de las armas que se venden a países en conflicto o hacer un seguimiento de las salidas ilegales de dinero de nuestro país debería ser suficiente contrapartida para sus pequeñas aportaciones, pero confunden las necesidades básicas como la paz y la economía con el altruismo y el mecenazgo. La información nos hace más libres y nos da el control a los ciudadanos. No quiero que piensen que están haciendo un acto de beneficencia, sino que ayudan a defender sus derechos y los nuestros.

Leire asintió, aunque pensó que Raúl seguía siendo un poco ingenuo y utópico, pero el que hubiera periodistas que tenían como meta el control del poder desde sus raíces le pareció una tarea encomiable. A lo mejor, indirectamente, ella le podía ayudar a llevar a cabo sus investigaciones.

—Te he llamado porque necesito tu ayuda y además puedo retribuirte lo que te tengo que pedir —dijo ella.

—Oye, que he venido porque somos amigos, no aceptaré que me pagues nada. Dime qué necesitas.

—No, no me entiendes. Es la cadena de televisión donde trabajo la que te pagará. Me han puesto al frente de un tema gordo y el jefe de informativos me da presupuesto para contratar colaboradores. De hecho, ya le anticipé que podría requerir tus servicios.

—¿Y están dispuestos en ADN TV a pagar a un periodista de datos? Me sorprende. Jamás han entrado a considerar un reportaje que no sea con cámara oculta o de extrema frivolidad.

—En cierta manera no sabrán qué es lo que estás investigando. No deben saberlo. Esto es entre tú y yo. Todo lo que averigües pasará por mí. Yo sabré cómo tengo que utilizarlo.

—¡Hum!, una especie de asesor en la sombra. —Rio Raúl—. Me estás intrigando. ¿De qué se trata?

—Necesito saber todo lo que puedas averiguar sobre la congregación católica de los Mártires por Cristo: sus cuentas, su organización, sus bienes, las instituciones con las que están vinculados… Todo. Una especie de mapa de posición que me permita saber a qué se dedican y si conservan el poder que en su tiempo tenían.

—¿La orden que fundó el cura pederasta?

—Sí, esa, y en especial todo lo que tenga que ver con Simentia, una empresa de semillas modificadas con tecnobiología.

—Bien. No hay problema. —Raúl apuntaba con velocidad en su iPad—. ¿Para cuándo lo quieres?

—Es urgente. Me gustaría que te pusieras ya a ello y que conforme avances me vayas contando. Se trata de un asesinato…

—No me digas nada —la interrumpió—, prefiero no saber nada por el momento. Cualquier información puede condicionarme. Mejor estar limpio del todo para iniciar el trabajo. A mi gente prefiero decirles qué hemos de buscar antes de contarles por qué lo buscamos. El periodismo de datos es aséptico de inicio, pero demoledor en sus resultados. Hay que trabajar en silencio y con métodos que no sean detectados si queremos que la investigación no sea sesgada y lleguemos a conocer la verdad —explicó Viedma con un cierto brillo en la mirada. Leire sonreía ante la vehemencia y vocación de su amigo.

—A lo mejor tienes razón. A mí a veces me puede la pasión que le pongo al periodismo y acabo por involucrarme en exceso.

—No tiene nada que ver. Me parece bien que actúes así. Yo también le pongo pasión, pero debo centrarme en la tecnología para recabar los datos. Mis fuentes están en los números y las tuyas en las personas. Interpretar la información es un paso muy interesante, aunque no se puede dar si trabajas con material deficiente o, de lo contrario, acabas por inclinar la noticia hacia el lado que más te conviene, sin querer.

Leire comprobó que Raúl había madurado en estos dos años. A pesar de que no llegaba a los treinta tenía muy claras las cosas. Sintió una gran confianza en su nuevo colaborador. Cuando le conoció en la radio, durante una sustitución que tuvo que hacer en verano, le había parecido un *hacker* ilustrado que se ruborizaba a la mínima que le decía algo sin importancia.

Recordó lo mal que se lo hizo pasar su amiga Paola cuando se le insinuó un día en casa mientras ambos trabajaban. Se fijó en que había engordado algo, no excesivamente, pero su cuello y brazos, antes huesudos y enclenques, ahora eran recios y musculosos. Reparó también en que las rusas lo miraban de reojo y se reían entre ellas haciendo comentarios ininteligibles. Raúl era atractivo, y aquellas chicas parecía que tenían ganas de coquetear.

—Parece que has ligado —dijo guiñándole el ojo—, ¿Tienes novia?

—No, no salgo con nadie... Mi vida está pegada a un ordenador —afirmó encogiéndose de hombros—. ¿Y tú? ¿Sigues con aquel policía?

—Se puede decir que sí, aunque como tú has dicho no sé si estoy inclinando la información hacia el lado que más me conviene. Lo nuestro no pasaría tu control de datos —contestó ella antes de arrugar la nariz.

—Entiendo. ¿Y tu amiga Paola?

—¿Si tiene novio?

—No..., no, solo quiero saber qué tal le va. —Raúl se puso tan colorado como el fuego de la estufa de pie que les daba algo de calor.

—Está muy guapa y no tiene novio.

—Ah, pues dale recuerdos de mi parte.

—A lo mejor podríamos cenar con ella un día de estos y se los das en persona.

—Es una chica estupenda. Tiene mucho carácter.

—Yo creo que tú también le caes muy bien. El día que la conociste me pareció que hacíais muy buena pareja. Recuerdo que te intentó seducir con tanto ímpetu que te sentiste intimidado. —Leire rio con ganas.

—Bueno, sí. No puedo evitar mi timidez. Estuve tentado de llamarla en más de una ocasión con la excusa de que he escrito un texto; quería que me diera su parecer, pero cada vez que iba a marcar su teléfono acababa colgando. No se lo digas, ¿eh? Me moriría de vergüenza si lo supiera.

—Pobre Raúl —le acarició el pelo—, eres un tipo genial. No hay hombres así por el mundo. A las mujeres nos encantan los tíos inteligentes y tímidos, aunque hasta cierto límite. Tienes que superar esa vergüenza pero sin pasarte al otro extremo, no vaya a ser que te conviertas en un ligón de esos que van a la caza en el Luz de Gas.

—¿Sigue editando libros?

—Sigue en ello. Ahora trabaja de nuevo por su cuenta. En la editorial Sintagma hicieron una regulación de empleo y le dieron trabajo de edición muy mal pagado, así que hace un poco de todo como *free lance*: escribe libros para famosos, traduce novelas románticas y hasta cuentos infantiles ilustrados. Se queja mucho, pero es más libre, y yo sé que se siente feliz.

—Me gustaría que le echara un vistazo a un libro que estoy terminando. Es un manual sobre periodismo de investigación. ¿Tú crees que le importará?

—Está hecho. Me ocupo de montar una cena de viejos amigos. ¿Qué tal mañana? ¿Crees que en veinticuatro horas tendrás algo?

—Estupendo, mañana puedo tener algo seguro, pero no le digas a Paola…

—Tranquilo, será una sorpresa.

—Bueno, quizá que me vaya y empiece con tu encargo. He quedado en media hora con mi gente y creo que vamos a darle una pequeña tregua a las armas para entrar en la Iglesia y en la agricultura.

—Ve con cuidado, Raúl, por favor. No quiero saber cómo entras a buscar la información, pero no te arriesgues en ningún momento.

Leire no se reconoció en esa advertencia. A lo mejor, sin quererlo, habían calado en ella las palabras de Julián, o quizá fuera que estaba tomando conciencia de que se enfrentaba a un peligro desconocido. Sintió que se le erizaba la piel en la espalda y los brazos, y que ni la estufa ni el café con leche conseguían hacerla entrar en calor.

Capítulo veintiséis

*E*l aviso lo dio la recepcionista del Hostal Nuevo Colón, situado frente a la estación de Francia, en el distrito de Ciutat Vella. Eran las ocho y media de la mañana. Al parecer, un perro se había pasado ladrando toda la noche y al llamar a primera hora a la puerta de la habitación 102 el huésped no contestó. La recepcionista no se atrevía a abrirla con la llave maestra por miedo a que se le echara encima el perro. Desde la sala de operaciones de la policía dijeron que la habitación desprendía un fuerte olor a azufre. Ese hecho alertó a Barreta, que estaba cerca del lugar cuando se dirigía con su coche a la comisaría y se detuvo en el hostal.

Llamó a la puerta repetidas veces. Oyó ladrar al perro tras esta, pero nadie abría. Los aullidos parecían de un animal pequeño y al poco se convirtieron en constantes y neuróticos. En la escalera se multiplicaban por efecto del hueco del ascensor del viejo hostal.

—Deme la llave maestra y váyase de aquí —ordenó expeditivo a la recepcionista, una joven pizpireta que llevaba una larga trenza y miraba con ojos como platos.

—Ya le dije al dueño que no teníamos que aceptar mascotas, pero, claro, si te pagan una semana por adelantado uno se puede saltar las normas —dijo la recepcionista nerviosa, que no se apartaba y a la que le podía la curiosidad.

—¿A nombre de quién está registrada la habitación?

—Me dio el nombre de una empresa: Simentia, me dijo, pero a mí me pagó por adelantado y en efectivo, ya se lo he dicho. Así mi jefe lo cobra en negro... Oiga, pero yo no se lo he dicho, ¿eh?

—¡Haga el favor de bajar a recepción! Luego hablaré con usted —exclamó Barreta.

Abrió la puerta y un terrier redobló los ladridos, saltando en torno a él. Desenfundó la pistola. La habitación era pequeña y luminosa, y daba a un balcón con vistas a la estación de Francia.

En una silla, sentado frente al televisor, había un cadáver. Tenía el cráneo abierto con un hacha y la sangre que había brotado de su cabeza estaba seca. Sobre una mesilla de noche había un plato con lo que parecía una víscera ensangrentada. Barreta comprobó que lo que había en él era la lengua de la víctima: se la habían seccionado de un tajo.

El pequeño terrier había dejado las huellas de sus pezuñas, impregnadas con la sangre de su amo, por el piso de gres de la habitación y sobre las colchas a cuadros verdes y blancos de las dos camas individuales. Barreta registró el baño, de apenas cuatro metros cuadrados, y comprobó que no había rastro alguno a simple vista. Llamó inmediatamente al inspector Julián Ortega.

Julián se acercó al cadáver y comprobó que el golpe era seco y cortante, y que le rebanaba parte de la frente. El hacha estaba sobre la cabeza perfectamente incrustada. La expresión de la víctima era placentera, casi risueña; quizá fuera el efecto del corte de la lengua, que hacía que su cavidad bucal y los labios estuviesen hinchados y semiabiertos mostrando la dentadura. El olor a azufre que desprendía su cuerpo resultaba mareante en aquella minúscula habitación. Abrió la ventana para ventilarla.

Volvió a tener la misma impresión que con el cadáver

de Lucía: se reproducía el martirio de un santo; primero fue Santa Lucía, luego San Pedro de Verona. Como este, e igual que se mostraba en el libro de su niñez, el hombre mutilado aparecía con un hacha en la cabeza y la lengua cortada.

Julián levantó una pernera del pantalón de la víctima y vio un vendaje que cubría su tobillo derecho hasta media pierna, seguramente un esguince que le provocaría una ostensible cojera.

Pero había algo más, el parecido con Lucía era asombroso: la misma tonalidad morena de la piel y la mirada profunda e inquisitiva. Tomó un pañuelo de su bolsillo para no dejar huellas y desabotonó con cuidado la camisa del cadáver. Sobre su cuello pendía un colgante con una flor de lis azulada idéntica a la de Lucía Ketana. No le hizo falta que Barreta le mostrara el pasaporte de Pedro Cabañas que había sobre la mesita de noche, junto con varios billetes de quinientos euros, para saber que estaba frente al cadáver del hermano de Lucía.

Pensó en la imagen del monitor con la mirada de Lucía hacia las bambalinas del estudio. Aquella mirada se había producido después de mostrar su tatuaje ante las cámaras. Su hermano la había visto a través del monitor que había en el *backstage* y esa era la razón por la que no entró en el estudio a ejercer la protesta que había venido a llevar a cabo, una protesta que alguien había acallado para siempre, igual que ocurrió con el santo, con Pedro de Verona, que dejó de predicar el cristianismo cuando le seccionaron la lengua y la vida.

Capítulo veintisiete

*H*abían transcurrido cuarenta y ocho horas desde que apareció el cadáver de Lucía Ketana colgado de las campanas de Alella y veinticuatro desde que encontraron el cuerpo mutilado de Pedro Cabañas.

En la comisaría de Les Corts se respiraba a primera hora un ambiente tenso. Algunos policías habían advertido que en el aparcamiento había estacionado un sedán negro impoluto que solo habían visto en una ocasión: el día en que los de Asuntos Internos detuvieron a varios de ellos, acusados de soborno por el dueño de un prostíbulo.

Tres hombres trajeados cruzaron a grandes zancadas la sala que conducía hasta el despacho del comisario y se encerraron con él. Uno de ellos se detuvo y lanzó una mirada inquisitoria a su espalda antes de entrar.

Barreta los vio pasar agazapado tras la pantalla de su ordenador. Sacó su móvil del bolsillo y tecleó con rapidez un mensaje para Julián: «Mejor no vengas, han llegado los buitres. En Milano a las doce». Al poco recibió una llamada del comisario diciéndole que pasara a su despacho.

—Fernando, son de Asuntos Internos. ¿Dónde está el inspector Ortega? —preguntó Rojas visiblemente nervioso.

Barreta miró en derredor. Dos de los hombres estaban sentados frente a la mesa de Rojas y el tercero, de pie junto a la ventana, se colocó detrás de él, cubriendo la puerta como si el subinspector tuviera intención de huir.

Llevaban unos gruesos abrigos que no se quitaron a pesar de que en el despacho del comisario estaba puesta la calefacción.

—No lo sé. Desde ayer por la noche no hemos hablado. Supongo que estará al caer —dijo Barreta con toda la convicción y tranquilidad que le fueron posibles.

—Subinspector Barreta, soy el agente Bartolomé, de Asuntos Internos. Tengo entendido que es usted el compañero de Ortega, el inspector a cargo de la investigación del caso Ketana, ¿es así?

—En efecto —dijo Barreta, que supuso que Bartolomé era un apellido y no un nombre. Los «buitres» solían llamarse por sus apellidos para que no se estableciera ninguna familiaridad con ellos.

—Todos somos policías y respetamos a nuestros colegas, máxime si estamos trabajando con ellos en un caso codo con codo. No se nos ocurriría perjudicar jamás a un compañero, ¿verdad?

—Supongo que es así —dijo Barreta.

—Y así debe ser. Si no, este trabajo sería un infierno. Nuestra vida está muchas veces en juego y nuestro compañero puede salvarnos en algún momento. Pero si nuestra pareja, porque el vínculo es superior al que se da en un matrimonio, comete un delito grave, ¿no cree que debería colaborar para que se hiciera justicia? Es más: ¿podría usted confiar en un compañero que ha transgredido gravemente el orden y ha hecho daño a un tercero?

Antes de responder, Barreta miró al comisario, que puso ambas manos sobre su cara y cerró los ojos como si no quisiera creer lo que estaba pasando.

—¿Por qué no vamos al grano? —planteó Barreta con cara de hastío.

—¿Ha avisado usted a su compañero de nuestra presencia? —peguntó Bartolomé de un modo que parecía saber que sí lo había hecho.

—No tenía ni idea de que eran de Asuntos Internos, y tampoco sé por qué le tendría que avisar.

El hombre que estaba tras él dio un paso hacia adelante y sonrió complacido como si esperara precisamente esa respuesta.

—¿Tendría inconveniente en enseñarme su teléfono móvil?

Barreta miró al comisario buscando su aquiescencia y este afirmó con la cabeza. No tuvo tiempo de sacar de su bolsillo el teléfono porque el policía que tenía a su espalda se lo cogió con un gesto rápido y se lo lanzó a Bartolomé.

—¡Sois unos hijos de puta! —exclamó Barreta excitado.

Bartolomé miró los mensajes del móvil y no encontró ninguno para Julián.

—Aquí no hay nada —dijo cortante.

—Eres un listillo, has borrado el mensaje que le habías enviado a Ortega. ¿Crees que no te he visto escondido tras el ordenador tecleando en el móvil? Pediremos al SINTEL que nos dé los registros —aseguró el policía que le había quitado el teléfono.

—No he borrado nada, capullo. Puedes mirar que hace unos minutos le he enviado un mensaje a mi madre. —Barreta había enviado el sms a Julián desde otro teléfono, uno de recarga que les sería imposible controlar—. ¿Son esos vuestros métodos de mierda con los que queréis limpiar de escoria el cuerpo de policía? Lo que se necesita es alguien que os pare los pies. O me acusáis de algo con pruebas o se os va a caer el pelo, cabrones —lo dijo en tono amenazante, y Rojas pareció animarse a tomar las riendas del asunto.

—El subinspector tiene razón. Si no hay una prueba contra alguno de mis hombres, ya están saliendo inmediatamente de mi despacho.

El agente Bartolomé le devolvió de mala gana el teléfono a Barreta y se volvió hacia el comisario, que se había levantado de la mesa.

—Comisario —dijo el agente Bartolomé—, el inspector Ortega tiene una acusación grave contra él: una presentadora de televisión, Ágata Blanco, ha puesto una denuncia por intento de violación y tiene pruebas. Se grabó un vídeo del hecho. Tu amigo contactó con ella a través de la red de citas Afroditha —aclaró, mirando a Barreta con desprecio— y se citaron en el camerino de la televisión. El picha brava de Ortega la forzó. Si aparece por aquí espero que lo detengan y me avisen, de lo contrario serán encubridores de un delito. Desde este momento el inspector Julián Ortega está suspendido de servicio y en busca y captura.

Los agentes de Asuntos Internos salieron del despacho al unísono. Había tanto silencio en la comisaría que solo se oía el taconeo de sus zapatos cuando atravesaron la sala a grandes zancadas.

Capítulo veintiocho

Julián supo que la situación era grave cuando recibió el mensaje de Barreta, pero no fue consciente de lo intrincado del asunto hasta que se reunieron a media mañana en la coctelería Milano. A esas horas podía resultar un lugar discreto para un encuentro: pocos conocían que el bar, situado en un semisótano de la Ronda Universidad, abría a las doce del mediodía para servir platillos de comida que se elaboraban en la cocina de un local situado en la planta superior, con el que se comunicaba a través de una escalera interior. La apariencia de la entrada del Milano, con los rótulos de neón apagados, era que el local estaba cerrado.

Barreta le contó la reunión con los de Asuntos Internos mientras apuraba una cerveza. Había procurado que no le siguieran aunque se mostraba alerta, y de vez en cuando echaba una ojeada hacia la entrada del local.

—Será mejor que nos comuniquemos a través de estos teléfonos. El tuyo y el mío estarán pinchados. —Barreta le dio uno de los móviles con su teléfono grabado.

—¿Crees que es necesario todo esto? A lo mejor debería aclarar la situación, después de todo no he hecho nada que no pueda explicar. Sabemos desde dónde hicieron llegar el vídeo al comisario…

—Mira, Julián —interrumpió Barreta—, tal y como he visto a los buitres, primero te enchironan y luego te preguntan. Creo que hemos cabreado a Palazzi y a su gente, y nos lo quieren hacer pagar. Estuve visionando las imágenes del vídeo y cualquier juez creería que si no es porque llaman a la puerta en ese momento te acabas tirando a la presentadora. Es una denuncia muy sólida.

—No me voy a esconder. No soy un delincuente. Aunque son todos una pandilla de cabrones… Palazzi, los de la productora, los buitres, la Blanco y su puta madre —masculló Julián arrugando el entrecejo.

—Te entiendo perfectamente, pero tú veras, yo tengo órdenes de detenerte. Esos capullos me pondrían una medalla si te llevara esposado a la comisaría, a lo mejor hasta me promocionarían a inspector y me acabarían pagando la extra de Navidad que aún me deben. Es una opción. La otra es que me convierta en tu cómplice, te ofrezca el piso de un amigo que tenía alquilado hasta hace pocos días para que no te encuentren y te ayude a demostrar que lo de Ágata Blanco es una acusación falsa. Tú decides.

—¿Qué dice el comisario?

—Me ha encargado que me ocupe del caso Ketana hasta que vea qué pasa. Está tan pillado como nosotros: le llegó tu vídeo y no hizo nada por apartarte del caso. No me costó convencerle de que lo dejara todo en mis manos. Está acojonado y le van a presionar a tope. Tenemos poco tiempo.

—¿Sabes que te la estás jugando por mí? Si algo sale mal te voy a arrastrar conmigo.

—Bueno, no lo tenía muy claro, pero los buitres me dieron una lección sobre lo que es el compañerismo en la policía y me hicieron reflexionar. —Sonrió irónicamente—. ¿Tú qué harías en mi lugar?

—Eres un buen tipo, Fernando. Te agradezco todo lo que estás haciendo.

—No nos pongamos sentimentales. Si se me saltan las lágrimas soy incapaz de ver las cosas con claridad. —Rio y le dio un trago a la cerveza hasta vaciar el vaso.

—Bien, creo que voy a hacerle una visita a la red de citas de Afroditha. Si he enviado un mensaje a esa presentadora me gustaría tenerlo. Mientras tanto, ¿podrías tenerla controlada? Tengo la sensación de que van a ir con todo en este asunto de la violación.

—¿Qué quieres decir?

—Pues que para Palazzi y los suyos esto significa más audiencia. Tienen su exclusiva: «El inspector de policía que ha abusado de nuestra presentadora estrella». Me jugaría lo que quieras a que están en ello.

—Iré a husmear por la tele. Ve con cuidado, y sobre todo no utilices tu teléfono…, mejor dámelo y le quitaré la batería, o te localizarán, si es que no lo han hecho ya. Ah, y usa esto cuando estés hablando con quien sea. Es un inhibidor de frecuencias que impide que te graben. Si aprietas este botón puedes grabar tú, pero no tu interlocutor. —Le dio un pequeño aparato que Julián se echó al bolsillo de la americana.

Barreta desarmó en segundos el móvil de Julián y le dio las llaves del piso de El Masnou; lo hizo justo en el instante en que las cortinas granates del Milano se descorrían y dos tipos trajeados entraban en el local. Salieron por las escaleras de la parte trasera sin ser vistos y atravesaron la cafetería, que daba a pie de calle. Había justo en la acera de enfrente un sedán negro con un tipo recostado en el capó que encendía distraído un cigarrillo. Doblaron hacia Rambla de Catalunya y se perdieron entre la multitud.

Afroditha tenía las oficinas en un primer piso de la esquina de Córcega con Lepanto, en el barrio de la Sagrada Familia. Una mujer alta y rubia, de unos treinta años, le abrió la puerta. Julián se identificó como periodista y ella le hizo pasar a su despacho. Antes de entrar en él, se fijó en una sala en la que tres jóvenes estaban sentados en una gran mesa circular tecleando en sendos ordenadores.

Natasha Vólkova, aunque de rasgos eslavos, hablaba con un pronunciado acento catalán, y debió de notar que Julián se quedaba sorprendido por ello.

—Nací aquí. Mi padre era diplomático ruso y se casó con una catalana, no te extrañe mi acento. He estudiado en la universidad Pompeu Fabra comunicación audiovisual y llevo tres años al frente de Afroditha… ¿A qué medio me has dicho que perteneces?

Julián pensó que resultaría conveniente activar el inhibidor de grabación, y lo hizo con disimulo metiendo la mano en el bolsillo.

—Trabajo por mi cuenta, ya sabes cómo está el periodismo como para tener una plantilla, pero tengo un encargo de *La Vanguardia*. Queremos hacer un amplio reportaje desde el punto de vista sociológico y en positivo de las redes de citas. —Sonó convincente, pues Natasha asintió con la cabeza—. Tu red social es rusa, tengo entendido.

—Sí, rusa por los cuatro costados. Hice un *training* de dos años en la matriz de Moscú y me pusieron al frente de la oficina de España. En solo tres años tenemos más de dos millones de usuarios. Creo que los rusos están contentos del desarrollo del negocio.

—¿Con solo cuatro personas se puede llevar un tinglado como este?

—No es un tinglado, cumple una función de primer orden, nada menos que casar la oferta y la demanda de las relaciones entre parejas. Desde aquí controlamos el *software* mínimo, atendemos las incidencias de nuestros clientes y hacemos campañas de promoción, bajo la supervisión de Moscú. Hemos logrado más de cincuenta mil parejas estables en estos años. Me gustaría que dieses esos datos.

—Por supuesto. ¿Puedo encender la grabadora? Te dejaré leer lo que escriba antes de publicarlo, no te preocupes.

—Sí, claro, sí que está mal el periodismo. En la facultad nos enseñaron que no había que hacer eso, basta con que publiques lo que te digo y si no te puedo contestar a algo, porque entienda que forma parte de la estrategia de la empresa, te lo diré y punto.

Natasha Vólkova le pareció inteligente y rápida en las respuestas.

—Me has dicho que habéis conseguido cincuenta mil parejas… ¿Cómo lo sabéis?

—Si no tenemos más porcentaje de éxito es porque las personas engañan con los datos que colocan en su perfil, y no me refiero solo a la edad y a las fotos retocadas. Hemos detectado que algunas crean una página totalmente falsa con tal de curiosear en la red. Chatean con diez, veinte y hasta cien hombres o mujeres, y cuando llega el momento del encuentro para conocerse se esfuman o cambian de identidad.

—Pero tienen que pagar un dinero por estar suscritos.

—No les importa. Hay muchos enfermos del sexo. Cuando el sistema nos avisa de que una misma dirección de ordenador ha creado media docena de perfiles diferentes, les enviamos un mensaje para que sepan que les hemos descubierto. Piensa que nuestro éxito se basa, al final, en concretar relaciones, no en servir de canal para los *voyeurs*. Pero me has dicho que querías hacer un reportaje en positivo, y yo te estoy hablando de algo que no es lo normal en este negocio. La mayoría de la gente se lo toma muy en serio. En cierta medida somos una empresa que busca la felicidad de las personas, y con eso no se debe jugar. —Sonrió y con la mano se apartó de la cara la melena rubia para mirarle con atención—. Deberías probarlo… ¿Nunca te has apuntado?

—Yo…, no. Bueno, claro que he entrado a mirar vuestra página por encima. Pedís mucha información, prácticamente hay que rellenar una docena de pantallas.

—Cuanta más información tenga el sistema sobre ti, más fácil le resultará hacerte una propuesta de mujer que case con tus expectativas.

—Ya, el sistema lo sabe todo y lo controla todo. Pero supongo que no puede detectar si alguien ha creado una página falsa con mi nombre, mi foto, mis preferencias y gustos… Quiero decir, que alguien podría suplantarme y enviar chats por mí sin que yo lo supiera.

—Eso es posible… Pero no sé dónde quieres… Espera, perdona un momento. —Su teléfono inalámbrico estaba sonando y lo cogió. Ella asentía sin decir nada con la expresión demudada.

—¿Algún problema? —preguntó Julián.

—¿Quién eres y qué quieres? —exigió en voz alta y visiblemente nerviosa—. Llevas un inhibidor de frecuencia. El sistema ha dejado de funcionar.

Los tres jóvenes que estaban en la sala contigua entraron de pronto en el despacho con cara de pocos amigos. Julián se volvió hacia ellos y les mostró su placa de policía. Uno, el más fornido, miró a Natasha Vólkova esperando órdenes. La chica pareció recuperar la calma al ver su identificación.

—Apague el inhibidor, tenemos interferencias en la página web. —Natasha abandonó de golpe el tuteo y toda familiaridad con el inspector—. Podéis volver a vuestro puesto, está todo bajo control —dijo a los suyos con semblante serio.

Julián apagó el aparato inhibidor de frecuencias y los jóvenes, desconcertados, cerraron la puerta del despacho.

—Siento haberla engañado. Soy el inspector Julián Ortega, y no estoy aquí por un reportaje, sino por un caso que estoy investigando. —Julián supuso que Natasha se iba a cerrar en banda a partir de ese instante y que le sería difícil obtener lo que buscaba, pero no fue así.

—Si hubiera empezado por ahí, inspector, le habría recibido igualmente. Mire, yo creo en mi trabajo, y sé que es difícil de entender, pero si mi empresa hiciera algo ilegal no seguiría un minuto en ella. Me dan asco y pena a la vez los hombres y mujeres que suplantan personalidades o que son enfermos sexuales. No soy una monja, y entiendo que algunos de mis clientes se apunten a Afroditha solo para follar. Están en su derecho si lo hacen libremente y sin trucos que puedan herir a las demás personas. No sabe hasta qué punto he rechazado usuarios, y no me dolerían prendas denunciarlos si tuviera constancia de que están usándonos para cometer un delito.

Julián tuvo la sensación de que hablaba en serio. Se la notaba afectada y él se sentía como un niño al que han reprendido por no hacer los deberes. Había sido una estupidez hacerse pasar por periodista, pero debía jugar la carta a la desesperada para sacarle la información que buscaba.

—La creo —dijo—, he cometido un error, supuse que no colaboraría si le decía que era policía. La mayoría de la gente te dice que sin una orden judicial no te da información, y quiero que sepa que le asiste ese derecho y que puede dejar de contestar mis preguntas desde este momento. Me iré y la dejaré en paz.

—Hay algo que no entiendo: ¿tan grave es el asunto que se ha presentado aquí haciéndose pasar por periodista y con un interceptor de frecuencias? No tenemos nada que esconder, ya se lo he dicho. Lo que hablemos es confidencial, ¿no?

—No la quiero seguir engañando. Lo que necesito de usted puede que tenga que utilizarlo como prueba. Puede que no se quede entre usted y yo.

—Hace un par de días me llamó una persona que dijo ser policía y que quería que le buscara información de una clienta… ¿Viene usted por lo mismo? Me habló de Lucía Ketana, la chica que luego vi que había aparecido muerta en el campanario de Alella.

—En cierto modo. Sabemos que el perfil de Lucía en Afroditha era falso y que se confeccionó desde el ordenador de una tercera persona. Quien le llamó es mi ayudante. Me comentó que usted le dijo que no podía acceder a los datos porque el servidor estaba en Rusia y todo se procesaba desde allí.

—Le dije eso porque es verdad y porque no doy ninguna información por teléfono, prefiero hacerlo en persona, aunque traten de engañarme como usted.

—Pero en realidad, según me ha contado, pueden acceder desde aquí al sistema y moderar el comportamiento de los clientes.

—Sí. Ya le he dicho, inspector Ortega, que este negocio se basa en la confianza. No podemos arriesgarnos a que se cuelen menores de edad, prostitutas o proxenetas. Tendríamos que cerrar a los pocos días. Le voy a contar una cosa: cuando comenzó Afroditha en Barcelona se llenó de perfiles de rusas que buscaban casarse con españoles; a mí me pareció normal, incluso la página web de Moscú alentaba con su publicidad a que lo hicieran. Recibimos miles de usuarias jóvenes, guapas y sexies a las que les traducíamos al español los perfiles que nos enviaban. Al poco tiempo empezaron las denuncias de algunos clientes que habían sido engañados, pardillos de metro sesenta se casaban con eslavas de metro ochenta de cuerpos esculturales que aparecían fotografiadas semidesnudas. Les pagaban el viaje, las instalaban en su casa y ellas los seducían por un tiempo, sorbiéndoles el seso hasta llegar al matrimonio o tener un hijo con ellos. Luego los dejaban tirados y sin blanca, y ellas adquirían la nacionalidad española al poco. ¿Sabe lo que hice?

—No tengo ni idea —dijo Julián.

—Cogí un avión a Moscú y le dije al jefe de Afroditha que o cribaba convenientemente esos perfiles o los bloqueaba desde aquí. Le amenacé con denunciarlo en toda la prensa si no lo hacía.

Julián era escéptico con lo que le decía aquella joven, más bien pensaba que le estaba vendiendo la bondad de una compañía que tenía bastantes puntos oscuros. Lo había comprobado con Lucía y en persona. Controlar una red de esas características debía de resultar tan complejo como impedir que se escaparan los peces a través de una malla agujereada. Aun así prefirió seguirle la corriente, por lo menos había conseguido saber que Natasha Vólkova tenía pleno acceso al sistema.

—Estoy sorprendido —dijo fingiendo interés—, no pensaba que hubiera un control tan responsable en una red de citas. La felicito, está haciendo una buena labor…, y además parece resultar muy rentable.

—El año pasado superamos los diez millones de euros de facturación —informó Natasha exhibiendo una sonrisa de satisfacción—, pero dejemos de hablar de la empresa, si le puedo ayudar lo haré encantada.

—Bueno, no sé. Tengo una pregunta: ¿para chatear en la red con una persona es necesario pagar previamente? Es decir, ¿es necesario estar suscrito a Afroditha o se puede hacer gratuitamente?

—Te puedes inscribir gratis y te facilitamos los primeros contactos, pero si quieres establecer una relación con ellos tienes que pagar mediante tarjeta de crédito o facilitar tu cuenta corriente.

—Necesitaría saber si las cuentas de cuatro personas se han pagado con la misma tarjeta de crédito.

—Eso que me pide es muy confidencial. No puedo dar los números de cuenta de nuestros clientes…

—Lo entiendo. Hace usted muy bien. Ya le decía que es lo que me suele pasar en este tipo de investigaciones. Lo lógico es pedir una orden judicial, lo que sucede es que muchas veces esa orden es tan amplia que se acaban encontrando detalles que no vienen al caso. Es como una caja de Pandora, la abres y se esparcen todos los males del mundo, como en la mitología griega. Buscas una información insignificante y te topas con un cúmulo de barbaridades. No es su caso, claro… En fin, siento haberla molestado y, sobre todo, haber actuado de la manera en que lo he hecho. —Julián hizo ademán de levantarse para salir del despacho.

—No, espere, espere un segundo. Voy a ver qué puedo hacer. Déme los nombres de esos clientes.

Julián le dio los nombres de Lucía Ketana, Juan Martínez, Ágata Blanco y el suyo propio. Natasha Vólkova tecleó en su ordenador y esperó hasta que aparecieron en pantalla los dieciséis dígitos de una tarjeta VISA junto a cada perfil de usuario.

—Los cuatro se han cargado al mismo número de cuenta corriente —dijo extrañada y con voz entrecortada—. Pertenece a Juan Mejías, es una cuenta de empresa: Nómada Producciones. Dos de los usuarios, el suyo y el de la tal Ágata, están dados de alta desde ayer.

—¿Me podría facilitar una copia impresa de esos datos?

—Eso me puede crear un problema, inspector Ortega.

—Si no me la facilita no tendrá solo un problema, ya sabe lo de la caja de Pandora.

Apesadumbrada, le dio con desgana al botón de impresión y le tendió el papel sin mirarle a la cara.

—Le ruego que sea discreto, nosotros no podemos controlar estas cosas. No tenemos nada que ver con esos manejos…

—Me pareció que todo lo tenía controlado. Quizás es tan fácil como que cuando su sistema detecte que un solo usuario abre varios perfiles con la misma cuenta corriente le impida el registro automáticamente, pero entiendo que gracias a ello llega a facturar tantos millones.

—No quiero que se lleve una opinión negativa de nuestros servicios. Reconozco que es un fallo, y tenga por seguro que lo corregiremos de inmediato. ¿Puedo hacer algo más por usted?

—Ahora que lo pienso sí. Quizá pueda hacerme un último favor.

—Dígame, ¿qué quiere? —Natasha Vólkova lo preguntó en tono cansino. Se la notaba derrotada.

—Quiero ver los mensajes que he recibido en mi cuenta.

Natasha tecleó con desidia y cuando apareció la página de Julián giró la pantalla hacia él para que pudiese ver los chats que habían quedado grabados en ella. Este pudo leer un intercambio escueto de conversaciones:

De Ágata a Julián: No insistas en verme, no tengo nada que decirte. Me das miedo, no quiero saber nada de ti.

De Julián a Ágata: Siento lo de ayer en tu camerino. Me propasé. Pensaba que querías hacer el amor conmigo.

De Ágata a Julián: Me hiciste daño. Abusaste de mí. Si vuelves a merodear por mi casa o por la tele te denunciaré. Tengo pruebas de todo. Estás enfermo, solo un enfermo ataca a una mujer como tú lo hiciste conmigo.

De Julián a Ágata: Si lo haces atente a las consecuencias...

Julián dejó de leer. Sentía náuseas, aquella mujer le había tendido una trampa absurda. Demostrarlo no le sería difícil, pero frente a una denuncia de intento de violación los de Asuntos Internos de momento le arrestarían y solo después se asegurarían de comprobar los datos de la cuenta corriente de Nómada Producciones, la falsificación de las cuentas abiertas en Afroditha y analizarían el vídeo una y mil veces. No tenía el tiempo que los procedimientos requerían para defenderse en esos momentos.

Capítulo veintinueve

*J*ulián llamó a Barreta con el teléfono encriptado y le puso en antecedentes de lo que había averiguado en Afroditha. Tenía las pruebas de que todo había sido un montaje de la productora de televisión, como sospechaba. La falsificación de su página y el vídeo para imputarle un delito y apartarlo de la investigación le tenían preocupado, y no tanto por lo que a él le afectaba, sino porque a esa manipulación, que debía de haber sido ordenada desde bien arriba, no le encontraba una conexión directa con los crímenes.

¿Quién estaba detrás de los asesinatos de los hermanos? ¿Había alguna organización detrás de ellos o era simplemente el acto aislado de un sádico que se había cebado con sus víctimas? ¿Un miembro de una secta religiosa, como había apuntado su madre, que seguía el ritual del martirio cristiano? ¿Alguien que pertenecía a la orden de los Mártires por Cristo? ¿Y tenía algo que ver la empresa Simentia del matrimonio Palazzi con los asesinatos? Ahí podía estar la clave, pensó.

Debía moverse con cautela para no cometer errores. Le pidió a Barreta que averiguara la dirección de la casa de Palazzi. Mientras esperaba a que le devolviera la llamada con los datos, se sentó en la terraza de un café de la avenida de Gaudí y encendió un cigarrillo. A lo lejos vio el templo de la Sagrada Familia, que elevaba sus torres sobre un cielo de color azul intenso que el viento había barrido de nubes. Parecían árboles petrificados inmunes a la inclemencia del tiempo.

Se abrigó el cuello con las solapas de la cazadora y pidió un café y un bocadillo. Eran cerca de las tres de la tarde y había poca gente en la avenida. Le llegaba el olor intenso a fritanga de un bar mezclado con el de la resina de los árboles, que habían dejado a medio podar los empleados del Ayuntamiento para hacer un alto para el almuerzo. Estaba a pocas calles de la casa de su madre, pero imaginó que estaría vigilada por algún policía de paisano.

El ulular de una sirena le hizo ponerse en tensión. Era la primera vez que ese sonido le producía desazón. Pensó en llamar a Leire, aunque enseguida lo descartó: sin duda ya habrían intervenido su teléfono.

Al poco vibró su móvil y Barreta apareció al otro lado del teléfono.

—Los Palazzi viven en un chalet en Llavaneres. Te envío un mensaje con la dirección, su mujer es María Torres, la accionista mayoritaria de Simentia, esa empresa que patrocina *Esta es tu vida*... Parece que todo queda en casa. ¿Quieres que vaya allí?

—No, no podemos arriesgarnos a que te sigan. Iré solo.

—Está bien. Una cosa más, he estado buscando en Internet sobre Pedro Cabañas. Es cierto, como te dijo Comella, que es un activista contra Simentia. Hay decenas de artículos suyos, te enviaré un enlace al teléfono para que lo sigas.

—Perfecto. ¡Ah!, necesito que me hagas un favor. Ve y busca a Leire, explícale cual es la situación y dile que vaya con cuidado. Su teléfono puede estar intervenido. Si se pone en contacto conmigo, que lo haga a través de tu móvil.

—Escúchame. Si ya tenemos las pruebas de que ese cabrón de Mejías falsificó los chats y seguramente grabó el vídeo, ¿por qué no los desenmascaramos de una vez? Con eso bastará para que el juez lo ponga entre rejas y los buitres se queden conformes.

—Porque no quiero alertar a Palazzi y a su gente antes de ver a su mujer. Tengo una corazonada.

—¿Una corazonada de qué?

—No lo sé exactamente, pero ¿te has preguntado por qué actúan de esa forma? ¿A quién protegen con esas absurdas patrañas? Tengo que dejarte. Te llamo luego. Busca a Leire, por favor.

Desde la salida de la autopista hasta la urbanización donde se hallaba el chalet de Palazzi tuvo que ascender con la moto por una carretera de curvas que, al tiempo que le alejaba de la costa, le descubría una bella vista del horizonte azulado del mar. A cada curva que tomaba el bosque mediterráneo de pinos, encinas, algarrobos y romero era menos abrupto y poblado, y dejaba al descubierto los tejados rojizos de las casas y los campanarios de las iglesias del Maresme. Al llegar cerca de la colina de Montalt tomó una bifurcación a la derecha. Apenas había recorrido cien metros desde el desvío cuando se topó con un letrero que indicaba que estaba entrando en un camino particular. El asfalto dio paso a un sendero amplio de gravilla que acababa en una verja negra de doble hoja de hierro forjado con ornamentos florales. Un letrero de mármol en el muro indicaba que estaba en la Masía Palazzi-Torres.

Estacionó la moto junto a la puerta. Tocó el timbre y al poco se prendió una luz en el vídeo-portero automático. Se identificó como policía y mostró su placa al objetivo de la cámara. Una voz femenina le invitó a pasar. A los pocos segundos la cancela se abrió y caminó por un sendero adoquinado en cuyos márgenes se levantaban algarrobos y palmeras sobre un suelo de grama tupida y bien cuidada. Después de caminar un par de minutos se le apareció el porche de una casa que se asemejaba a una masía catalana solo por la entrada de dintel y el tejado a dos vertientes; el resto parecía haber sido renovado con una construcción modernista de grandes vidrieras que contrastaban con los muros de piedra picada.

Una mujer del servicio le salió al paso vestida con bata y delantal, y le indicó que la señora le esperaba en el jardín junto a la piscina. Julián ladeó la casa y vio a una mujer de mediana edad, delgada y con el cabello negro recogido con un diadema, que estaba agachada junto a unos rosales con unas tijeras de podar.

Aunque se percató de su presencia y le escrutó con la mirada, siguió recortando las ramas de los rosales. La señora de la casa le habló dándole la espalda.

—Inspector Ortega, ¿sabe usted que las rosas son las reinas de las flores? Son perfumadas como ninguna otra, y por eso atraen tantísimo a los insectos. Si un rosal se pone enfermo al poco enfermarán todas las plantas a su alrededor.

—Había oído que plantan rosales delante de los viñedos para advertir a los viticultores de las posibles plagas antes de que se contagien las vides.

—Efectivamente, inspector, está muy bien informado. Las rosas son la avanzadilla que se sacrifica. Son hermosas y valientes, ¿no cree? —Se levantó y se quitó los guantes de jardinería para tenderle la mano.

Era más menuda de lo que le pareció a primera vista. El frío le sonrosaba las mejillas y la nariz, pequeña y respingona. Era atractiva y de aspecto juvenil.

—¿No es pronto para podarlas?

—No crea, está haciendo mucho frío. El tiempo está revuelto, las estaciones se solapan y las flores también lo notan. Es posible que en febrero el jardín esté lleno de rosas. Ya no valen los calendarios de los agricultores.

—Veo que sabe mucho de jardinería. ¿Usted sola puede con todo esto? —Julián lanzó una mirada en derredor. La vista se perdía entre parterres de flores de geometría perfecta, un bosque bien delimitado y cuidado.

—No —rio con ganas—, solo me encargo de las rosas, las orquídeas y las hierbas aromáticas del huerto. El jardinero hace el resto. La finca tiene dos hectáreas, sería imposible. ¿Qué le parece si entramos? Empieza a refrescar. Aquí tenemos un microclima que mantiene el ambiente entre dos y cinco grados de temperatura por debajo de la de Barcelona, pero hoy se ha levantado el día realmente fresco.

—La vista es envidiable. La felicito, tiene una casa muy bonita… ¿Llevan mucho tiempo viviendo aquí?

—Compramos la masía hace veinticinco años y estuvimos dos de obras…, de hecho siempre estamos de obras —rio una vez más—. El lugar es un poco solitario. Marcos y yo tenemos dos hijos, pero estudian fuera de España y a veces la casa se hace un mundo, sobre todo cuando estoy sola, porque mi marido viaja mucho. Tiene un horario muy complicado. Me dijo que estuvo con usted en la televisión por lo de la chica esa que falleció en Alella y que participaba en su programa.

—Sí, tuvimos un par de encuentros. La chica fue asesinada, señora Palazzi —le aclaró Julián.

María Torres asintió en silencio. Estaban frente a la puerta principal de la casa y le invitó a entrar en ella. Julián se encontró en un gran *hall* con las paredes cubiertas de pinturas modernistas y el suelo impoluto de mármol blanco sin apenas vetas que le recordó la frialdad de una galería de arte. Reparó en los aparatos volumétricos de una alarma que parpadeaban a su paso desde las esquinas del salón; también vio dos cámaras, una cenital y otra junto al recibidor. Las interceptó disimuladamente con el inhibidor de frecuencias. La siguió hasta una estancia en la que había una chimenea ociosamente encendida, pues ya en la entrada se respiraba el aire caldeado por la calefacción. Ella le invitó a sentarse frente al fuego mientras se disculpaba por ausentarse para cambiarse de ropa y encargarle el té a la sirvienta.

A través de una ventana que daba al lado oeste del jardín vio las ramas de un sauce cimbrearse al viento que se había levantado al atardecer. Se asomó: pronto oscurecería y, según los pronósticos, llegaría una nueva borrasca que traería lluvias y más viento. Bajo el sauce y junto a una pared había varios arriates de flores en escalón similares a los que había visto a la entrada de ADN TV.

Paseó la mirada distraídamente por el interior de la habitación y dejó la cazadora sobre una percha de madera antigua. La decoración de aquella sala de estar era bien diferente a la de la entrada: un escritorio isabelino, cuadros impresionistas antiguos, mesitas de marquetería, jarrones franceses y varios gramófonos, catalejos y piezas menudas de porcelana. Parecía un museo y desprendía un olor algo rancio que se mezclaba con el de la resina de los troncos que quemaban en la chimenea. No podía decirse que fuera un lugar acogedor, más bien le producía cierto agobio.

Sobre el escritorio isabelino había una talla de un crucifijo de aproximadamente un metro. La expresión de la cara del Jesucristo no era exactamente de dolor, más bien parecía descansar con placidez, y tuvo la extraña sensación de que con la mirada dormida le estaba anunciando algo. Miró en el escritorio, que estaba abierto, y vio un álbum de fotos encuadernado en piel. Lo abrió para ojearlo. Eran fotos de familia. En una grande, que ocupaba toda la página del álbum, aparecía el matrimonio Palazzi con un bebé. Estaba tomada en la catedral de Barcelona, junto a la pila bautismal. En la siguiente página había varias más pequeñas, también del bautismo, en las que aparecían junto a la familia monseñor Ibáñez y Dimas Pascual, con veinte años menos. Porque no tenía duda de que eran ellos. También había un monaguillo, un joven ataviado con una casulla blanca y roja que ya no se solía usar hoy en día. Arrancó con cuidado la fotografía y se la llevó al bolsillo.

Siguió mirando el álbum. Las fotos, conforme pasaba las páginas, eran cada vez más antiguas. De pronto sintió la excitación de haber descubierto algo: en una que tenía escrito el año 1960 aparecía Mario Medel, el pederasta de los Mártires por Cristo, solo que no vestía de cura. Se trataba de una foto de familia; estaba en mangas de camisa sentado al lado de una mujer y sostenía en su regazo a una niña pequeña. En el álbum, bajo la foto, ponía «María a los cinco años».

Oyó unos pasos que se acercaban al salón y se apartó del escritorio, simulando contemplar con atención uno de los cuadros. Llegó María Torres con un jersey de cuello alto que la hacía más juvenil si cabe y tras ella la sirvienta con el servicio de té.

—¿Le gusta ese tipo de pintura, inspector? Es del siglo XVI, un pintor desconocido, aunque mi marido se empeña en decir que podría ser un Bosco.

—No es mi preferida. Me gusta la pintura más moderna, pero reconozco que está muy bien.

—No es necesario que haga cumplidos de estas obras. A mí me inquietan esos cuadros. Creo que la pintura debe relajar el espíritu y ese cuadro…, pero siéntese, por favor. ¿Una taza de té?

—Sí, gracias. Muy amable.

Julián supuso que Palazzi no le había contado a su mujer que le había llevado detenido a comisaría, de otro modo no entendía la amabilidad que le dispensaba. O quizá simplemente disimulaba. María Torres le facilitó el arranque de la conversación.

—Bien, inspector Ortega, ¿qué necesita de mí? Ya le digo que si es algo de la tele no le puedo ayudar. No la veo nunca. Es más, si me entero de las noticias es por lo poco que me cuenta mi marido. Me gusta más la lectura.

—En eso estoy con usted. Todavía me gusta más el papel, pero estas últimas horas no me ha quedado más remedio que seguirla.

—Sí, ya sé. Lo de esa chica… Qué pena.

—No me andaré con rodeos, señora Palazzi. Ha habido otro homicidio. Pedro Cabañas, hermano de Lucía, ha sido asesinado. ¿Le conocía usted?

—Yo…no. ¿Por qué iba a conocerlo?

—Sé que usted es propietaria de una empresa de semillas, Simentia, y que Pedro Cabañas se oponía a la actividad de su empresa. He consultado en la red y está llena de blogs y artículos en contra de las semillas transgénicas que ustedes fabrican. Pedro lideraba el activismo contra los métodos de Simentia.

—Yo… no recuerdo, si tuviera que hacer caso de todos los

que se oponen a nuestra empresa no acabaría nunca. —María Torres se levantó del sillón y atizó el fuego de la chimenea dándole la espalda. Parecía que de pronto sentía frío.

—Ya. ¿Le dijo su marido que Pedro Cabañas fue al plató de *Esta es tu vida* para protestar contra su empresa? Simentia patrocina ese programa, tengo entendido.

—No lo recuerdo, inspector. Creo que no me dijo nada. Marcos y yo no hablamos mucho sobre televisión, ya se lo he dicho. Ambos estamos muy ocupados con nuestros respectivos negocios. Mi marido ha dejado algunas empresas en mis manos recientemente, viaja mucho y yo puedo estar más por algunos temas.

—Como Simentia, ¿no es eso?

—Sí, yo me ocupo de Simentia, pero eso no significa que tenga que estar al tanto de un loco que lleva una pancarta contra mi empresa a un programa de televisión.

—Exactamente es lo que llevó al programa y es lo que hizo repetidas veces en algunas de las juntas generales de accionistas a las que usted asistió. ¿Quizás está recuperando la memoria, señora Palazzi, y me lo puede contar?

María Torres se dejó caer en el sillón en silencio.

—Esa persona me hacía chantaje —dijo al fin—. Tiene que creerme.

—¿Por qué no la iba a creer? —replicó en tono amigable para ganarse su confianza—. Cuénteme por qué la chantajeaba Pedro Cabañas.

—Me llamó varias veces, primero en un tono amable, pidiéndome que si le podía recordar a mi marido, que hasta hace poco era el presidente de Simentia, que por una módica cantidad dejaría de atacarnos. Decía que tenía pruebas irrefutables de que las hortalizas que se cultivaban con las semillas estériles de un solo uso, las que fabricamos, contenían agentes cancerígenos. Yo me asusté, parecía tener un gran conocimiento sobre ello, pero Marcos no le dio importancia, dijo que era más de lo mismo de lo que ya se había publicado. —María Torres se quedó pensativa.

—Pero usted no estaba tranquila, ¿verdad? Y quizá no lo estaba por alguna otra razón. Lo de las semillas era solo un problema menor, ¿no es cierto? ¿Qué le unía a Pedro Cabañas, señora Palazzi?

—¿Qué sabe usted?

—Quiero que me lo cuente usted misma.

—Se presentó un día en casa. La cancela estaba abierta porque el jardinero estaba sulfatando las palmeras y entraba cada dos por tres con la maquinaria. Llamó a la puerta principal y yo misma le abrí. Al decirme su nombre le amenacé con llamar a la policía. Se mostró tranquilo, no me pareció peligroso. Me dio una carta y me dijo que la leyera y que después podría llamar a la policía... Yo no podía creerlo... —María Torres sollozó.

—Tranquilícese. En esa carta le decía que era su hermano, ¿no es eso?

— Sí, decía que éramos hermanastros, hijos del mismo padre.

—¡Usted es también hija de Mario Medel! —Julián fue hasta el escritorio y le mostró la fotografía familiar del pederasta.

María Torres no pareció inmutarse y prosiguió:

—Mi padre conoció a mi madre en Madrid durante un viaje que hizo desde México. Se veían poco, pero cada vez que recalaba en España o en algún país de Europa solían verse. Estaban realmente enamorados... Aunque mi madre entonces no sabía nada de todo lo que vino luego, de la verdadera identidad de... No me mire así, inspector —repuso ella ante la mirada escéptica de Julián—, estas cosas pueden ocurrir, seas religioso o no. Todos somos humanos... Mi madre me contó que le enviaba los billetes de avión para que se reuniera con él en Roma o en Barcelona. Era un hombre de negocios muy ocupado. Eso es lo que ella creía. Se hicieron novios y se casaron. Éramos una familia normal, a mi padre lo veía poco pero se ocupaba de mi educación, y no me faltó de nada. Yo no sabía..., nadie sabía lo que después apareció en la prensa. Fue horrible para todos. —Su expresión se ensombreció de repente—. Creo que el disgusto que tuvo mi madre fue lo que acabó con su vida hace unos años.

—¿Cuándo fue la última vez que vio a su padre?

—Poco antes de que muriera, en Nueva York. Luego estuve en su funeral. Conmigo fue un buen padre, inspector. Ya sé que dicen que hizo cosas horribles con los niños, pero a mí jamás me puso la mano encima.

—¿Y le debió de dejar una buena parte de su fortuna tras su muerte, la empresa Simentia incluida?

—Me dio la herencia que me correspondía como hija legítima.

—Y Pedro Cabañas vino a reclamarle parte de esa herencia, ¿no es así?

—En cierta manera. Yo no tenía modo de saber si decía la verdad, que era hijo de mi padre y que este lo había abandonado de pequeño en un hospicio. ¿Sabe cuántas denuncias hay contra mi padre y la orden que creó? A mi padre le aparecen ahora hijos por doquier. No creo que todo eso sea verdad.

—Quizá, más bien, no le interesa que sea verdad. Pedro Cabañas, su hermanastro, le pidió dinero y usted se lo facilitó. Con eso ya le acallaba e impedía que pusiera en peligro su empresa y su fortuna.

—Al principio le dije que se fuera, que estaba loco. Lo eché de casa. Se puso violento y el jardinero tuvo que acompañarle hasta la salida. Tenía miedo… Luego lo pensamos con mi marido y sí, le dimos algo, pero no tenía bastante, cada vez me reclamaba más.

—¿Y por eso le mataron, señora Palazzi? Ordenaron ustedes que acabaran con la vida de Pedro Cabañas y de Lucía Ketana… Porque también ella era hermanastra de usted.

—No, no, inspector. Nosotros no haríamos algo así, ¡Dios mío! Somos cristianos.

Ese argumento le pareció vacuo y sin sentido.

—Hablamos de dinero, señora Palazzi, no de sus convicciones religiosas. Usted heredó la fortuna que su padre amasó urdiendo un importante entramado de propiedades y empresas, desviando a su bolsillo las donaciones que hacían miles de personas a la congregación que fundó. Una estafa en toda regla que se intentó tapar por parte de la Iglesia, lo mismo que los crímenes de pederastia que cometió y que jamás fueron juzgados hasta la fecha.

—¿Y no cree que mi familia y yo ya hemos sufrido bastante por ello? Mi padre llevaba una doble vida, es cierto, pero la pagó con el exilio del Vaticano hasta su muerte. Su nombre fue mancillado, deshonrado, mis hijos han tenido que oír cosas horribles de su abuelo. Los tuvimos que mandar a estudiar lejos de aquí. Hasta tuve que cambiarme el apellido Medel por el de mi madre para que me dejaran en paz. Cuando pensábamos que las aguas volvían a su cauce, que la gente se iría olvidando del asunto, la propia ONU pide a la Iglesia que se abra de nuevo una investigación: otra vez quieren remover el pasado. Esto está siendo muy duro, inspector. Si heredé la fortuna de mi padre no fue en su totalidad, parte de ella ha ido a parar a los Mártires por Cristo, que intentan rehacer la congregación. No quiero que piense que soy insensible a todo lo que ha pasado, pero yo no puedo cargar con la responsabilidad de lo que dicen que hizo mi padre.

María Torres parecía no querer ver la realidad de unos hechos que habían sido probados, y Julián era incapaz de sentir la menor compasión por ella. El papel de víctima no le iba, sobre todo cuando pensaba en las decenas de niños que habían sufrido abusos por parte de aquel monstruo.

—¿Qué relación tiene con la Orden en estos momentos?

—Mis dos hijos estudian en una de sus universidades en Roma, y mi marido y yo apoyamos económicamente a la Congregación, pero nada más fuera de eso. ¿Cree que si tuviera dudas sobre los Mártires llevaría a mis propios hijos a sus centros de enseñanza?

—¿Y de qué conoce al padre Ibáñez y al padre Pascual?

María Torres se quedó extrañada por la pregunta de Julián.

—Mi marido los conocía desde pequeño. Monseñor Ibáñez le dio clases de catequesis y bautizó a nuestros hijos, pero hace tiempo que no le vemos. En cuanto al padre Dimas, creo que Marcos me dijo que lo vio hace años. Recuerdo que fue él quien nos recomendó a Lorenzo para que se ocupara de nuestro jardín.

—¿Ese Lorenzo es el mismo jardinero que se cuida del jardín de ADN TV?

—Sí. El mismo. Es una bellísima persona. Marcos le dio trabajo en casa y en la tele, pero no entiendo a qué viene eso, ahora…

—No, a nada, a nada. Señora Palazzi, ¿cada cuánto tiempo viene a cuidar el jardín?

—A casa suele venir una vez por semana, los viernes, pero ahora me dijo que tardaría algunos días más. Al parecer tiene trabajo con la plaga esa del picudo rojo, ya sabe, ese escarabajo que se mete en el tronco de las palmeras y las devora hasta dejarlas secas.

—Sí, parece que las de la televisión están infestadas también. ¿Tiene algún espacio donde guarde sus cosas? ¿Podría verlo?

—Por supuesto. Tengo una llave en alguna parte… Sígame, por favor.

El sol se estaba poniendo y el viento parecía amainar. La temperatura descendía por segundos, la grama del jardín rezumaba humedad a cada paso y los pájaros se instalaban bulliciosos en las copas de los árboles preparándose para pernoctar. Caminaron hasta la parte posterior de la casa, donde había un pequeño cobertizo de madera tratada para resistir la intemperie.

María Torres abrió con dificultad la cerradura del barracón y Julián tuvo que empujar con fuerza la puerta que rozaba con la jamba. Del interior le llegó un desagradable olor a azufre que lo echó para atrás.

Capítulo treinta

$\mathcal{L}$eire salió de la televisión a media tarde. No tenía que volver hasta el día siguiente, cuando emitiesen de nuevo desde Alella. Esta vez su jefe había recibido órdenes de que a las nueve de la mañana ella condujera el informativo, al que le seguiría una tertulia que iba a moderar la inefable Ágata Blanco. La audiencia se había disparado con el programa especial, curiosa mezcla de *reality* e investigación periodística, así que Palazzi había ordenado explotar el éxito y cambiar la programación de la mañana, que sería exclusiva sobre los asesinatos de Lucía y Pedro.

Algunos comentarios en la prensa y en otras cadenas de televisión de la competencia habían destacado el pique entre ambas presentadoras, y eso precisamente animaba a la cadena a mantenerlas en primera línea de exposición. Que hubiera una rivalidad manifiesta entre ellas parecía que aportaba cierto morbo, más allá del que ya tenían los propios crímenes, que la gente sabría apreciar.

Leire intentó ver a Ágata, pero le dijeron que no estaba en ADN TV. «Está deprimida y muy dolida con todo lo que le ha pasado», le había dicho Mejías, «le hemos aconsejado que presente una demanda contra ese policía».

El día anterior Leire la había llamado por teléfono y Ágata le había asegurado que no era consciente de que la estaban grabando en su entrevista con Julián. Le pareció que decía la verdad, pero cuando le recriminó su actitud por haber acosado a su pareja, Ágata adoptó una postura de incredulidad: le dijo que si tenían problemas entre ellos no era asunto suyo, y que fue Julián quien quiso verla a solas en el camerino y el que la violentó y se propasó con ella.

Hasta entonces nadie sabía su relación con Julián, pero tenía la sensación de que tanto su jefe como Mejías, e incluso los compañeros de informativos, la miraban de otra manera, como si quisieran hacerla culpable de algo. Imaginó que lo del vídeo había trascendido. La gente murmuraba en los pasillos y cuando la veían pasar disimulaban y enmudecían. El ambiente era tenso porque nadie se explicaba tampoco la actuación de la policía deteniendo a los principales directivos de la cadena.

Estaba esperando el autobús cuando apareció el coche de Barreta; este le pidió que le acompañara.

—No debes llamar a Julián desde tu móvil. Seguramente está intervenido —le dijo nada más entrar en el coche.

—No pensaba hacerlo. Se ha portado como un cabrón. La verdad es que no os entiendo a ninguno de los dos. ¿Era necesario montar todo ese paripé de las detenciones?

—No sé por qué te pones así. Tenemos las pruebas de que lo están manipulando todo. Julián tiene detrás a los de Asuntos Internos por una denuncia falsa de Ágata Blanco...

—¿Falsa? —interrumpió Leire— Mira, Fernando, esto se os está yendo de las manos, y en cuanto a Julián... He visto el vídeo y Ágata será una gilipollas, pero ¿por qué iba a mentir con algo así?

—Porque a lo mejor la están obligando a seguir el juego. No lo sé todavía, pero lo averiguaremos. Quieren apartarnos del caso y están a punto de conseguirlo, solo falta que tú te pongas de su lado.

—Yo ya no sé de qué lado estoy. Todo esto me está descentrando. Por cierto, ¿dónde me llevas? —Leire advirtió que Barreta había conducido dando una vuelta a la manzana y que de nuevo se encontraban frente a la parada del autobús.

—Nos están siguiendo —dijo el policía mirando por el espejo retrovisor.

—¿Quiénes? —Leire miró hacia atrás y vio un coche negro con los cristales tintados.

—Son los buitres de Asuntos Internos. Agárrate, les daremos esquinazo. Saca la batería de tu móvil o nos localizarán.

Leire obedeció asustada. Al sacar la batería vio que tenía una llamada perdida de Raúl Viedma.

—Tengo que llamar a alguien, puede ser importante.

—Saca la batería y llama desde este. —Barreta le dio su teléfono encriptado.

El policía se saltó un semáforo y aceleró en dirección a la Rambla de Pueblo Nuevo. Las calles eran estrechas y la circulación le impedía despistar a sus perseguidores, así que optó por cruzar la avenida Icaria y meterse en la Ronda del Litoral. El tráfico era denso, pero tenía una cierta idea de cómo moverse en él como pez en el agua.

Cuando tomó la entrada a la Ronda del Litoral, sus perseguidores estaban a pocos metros intentando adelantar a un par de coches. Nada más coger el carril de aceleración puso la sirena sobre el techo, que empezó a ulular con fuerza dentro del túnel. Los coches se apartaban a ambos costados de los carriles y le dejaban un estrecho pasillo, suficiente para que pudiera avanzar con velocidad. Como había imaginado, los de Asuntos Internos no harían uso de la sirena y quedaron atrapados entre el tráfico. No solían utilizarla salvo si tenían que detener a alguien. En este caso solo buscaban que Barreta les condujera hasta el paradero de Julián.

Tomaron la salida hacia el Port Vell y estacionaron en una bocacalle del Born.

—Bien, ha sido muy emocionante —dijo con ironía Leire—. ¿Ahora me puedes decir de qué va todo esto?

Barreta le explicó a Leire la situación en la que se hallaba Julián. Le dio la dirección del piso de El Masnou donde se iba a alojar esa noche y le pidió que le llamara.

Antes la periodista llamó a Raúl Viedma, y este le dijo que tenía novedades sobre la investigación que le había encargado. Quedaron que se pasaría a las ocho por casa, prepararía algo de cenar y procuraría que estuviese Paola.

Cuando acabó de hablar con él miró a Barreta y le dijo:

—Fernando, ¿tú confías en Julián, verdad?

—A muerte —dijo el otro con sinceridad.

—Te la estás jugando por él.

—Él lo haría también por mí, por nosotros.

—Dame ese teléfono, le voy a llamar.

El colmado de La Ribera, en la Plaza Comercial, estaba cerrando la persiana. Leire corrió hasta la puerta del establecimiento y Aleix, el propietario, que la reconoció al instante, volvió a subirla para dejarla pasar. Pidió un poco de jamón serrano envasado al vacío, un par de latas de atún, anchoas, foie y pan de molde. También se llevó dos botellas de verdejo que estaban de oferta. Aleix lo apuntó en su cuenta y le dijo que ya pasaría a pagarla otro día porque había cerrado ya la caja.

La joven caminó por el Paseo del Born, que a esas horas estaba poco transitado. Miró al cielo cubierto de nubes negras e instintivamente giró hacia atrás la vista para ver si la seguían. Se dijo que estaba de los nervios por sentirse perseguida. No tenían nada contra ella, pero sentía un desasosiego que no podía evitar.

Al llegar a la iglesia de Santa María del Mar sonaron ocho campanadas. Frente a la puerta principal de la basílica un camarero recogía las mesas de la terraza para preservarlas de la amenazante lluvia. Hacía frío, aunque afortunadamente estaba a pocos metros de su casa. Recordó que no había ido a recoger el vestido de Paola que le había comprado para su cumpleaños y dobló por la calle de la Espasería. La tienda aún estaba abierta y lo tenían preparado y envuelto. Lo pagó y continuó bajando por la calle hasta llegar a Pla de Palau.

Cuando abrió el portal sintió escalofríos al pensar que la podían seguir. Tanteó la luz de la escalera y entró corriendo en el ascensor. No se había cruzado con nadie sospechoso, se dijo, y sintió que estaba comportándose como una chiquilla asustadiza.

Cuando entró en el piso ya había llegado Raúl. Estaba sentado a la mesa del comedor junto a Paola.

—No me acordaba de que eras tan puntual —dijo al verle.

Paola se levantó, le dio un beso a Leire y la abrazó con fuerza.

—Mira, nena, te perdono que hayas olvidado mi cumpleaños porque a cambio me has dado una sorpresa con Raúl. Es un buen regalo. —Paola le guiñó un ojo.

—Aquí tienes otro, algo más convencional. —Leire le dio el paquete con el vestido—. Espero que te guste.

Paola lo abrió nerviosa y estalló en un grito.

—¡Guau!, es el que me gustaba. Es genial y es de mi talla. No tenías que haberte gastado tanta pasta.

—Me hicieron descuento, me dijeron que nadie quería un vestido de flores insulso y pasado de moda que solo se ponían las maduritas —explicó Leire bromeando.

—Me lo voy a poner ahora mismo, ¿a qué es mono? ¿Te gusta? —dijo Paola mirando a Raúl.

—A mí me parece muy bonito —contestó Raúl, que enrojeció al instante.

—Espera, espera. He comprado algo para la cena, ¿te importaría ponerlo en un par de bandejas y abrir una botella de vino antes de cambiarte mientras Raúl y yo trabajamos un momento?

—¡Joder! ¿Trabajar ahora?, me imaginaba que tendríamos una cenita de amigos.

—Serán unos minutos. Paola… Va, ¡prepara la cena y ponte ese vestido escotado de campesina! Raúl también quiere comentarte algo sobre un libro que está escribiendo.

—¿Has escrito un libro? —Paola cambió su expresión de falsa indignación por otra de sumo interés.

—Yo… yo, sí, me gustaría que le echaras un vistazo, creo que con tu ayuda se puede mejorar.

—Por supuesto. Me encantará darte un repaso… A tu libro, me refiero. —Cuando se dio cuenta del rubor que encendió de golpe las mejillas de Raúl se rio con ganas.

—¡Anda, ve a la cocina! —ordenó Leire—, y no asustes a Raúl con tus chorradas, lo necesito concentrado.

—Ya voy, ya voy —canturreó su amiga en dirección a la cocina mientras llevaba la bolsa de comida y las botellas de vino.

—¿Qué has encontrado? —preguntó Leire.

—La orden de los Mártires por Cristo es propietaria de cientos de sociedades —dijo Viedma sacando de su mochila el iPad—. Calculo que mueven cientos de millones de euros. Aparentemente su primer negocio es el educativo: diez universidades privadas, setenta colegios, escuelas de negocios y centros de formación profesional están repartidos por todo el mundo. Los más importantes en México, Roma, Irlanda, Canadá y España.

—¿Por qué dices aparentemente?

—Porque, aun siendo importante, ese negocio es menor. Es una tapadera, digamos que ideológica, que les permite reproducirse y formar a nuevos seguidores de la Congregación. Actualmente están censados doce mil trescientos curas que manejan la institución. Solo para que te hagas una idea, sus directores tienen un parque móvil con coches de lujo que asciende a más de tres millones de euros. No está mal para una orden que en su ideario tiene la pobreza como lema. Hemos rastreado algunas de las cuentas corrientes que manejan. Es difícil seguir los miles de ingresos que obtienen diariamente, pero lo que está claro es que siguen recibiendo donaciones de particulares a espuertas, amén de lo que recaudan por sus negocios.

—Vaya, sí que supo organizar ese Medel un buen tingado.

—Medel lo inició, pero esto se ha hecho muy grande, gigante diría. La Orden se ha rehecho tras las decenas de denuncias de pederastia que estuvieron a punto de hundirla. El Vaticano pactó con Medel que se apartara de los órganos de dirección, aunque este siguió dirigiéndola en la sombra; a cambio, la Iglesia hizo oídos sordos a los crímenes de pederastia que habían cometido él y los suyos. Eso y varios millones de euros que envían a la Santa Sede cada año están tapando las denuncias.

—Pero tanto dinero no puede salir solo de donaciones y de los colegios…

—Es cierto. Sale de las empresas que explotan, y en especial de una que hemos rastreado: Simentia. Se trata de una empresa de semillas que se inició en México y que al poco creció por varios países latinoamericanos. Está gestionando su fusión con Agra, la mayor multinacional de semillas y herbicidas del mundo. La operación supondrá cerca de quinientos millones de dólares para Simentia, o lo que es lo mismo, para sus propietarios, los Mártires por Cristo. Quien condujo la operación fue Bruno Carleti, ex secretario de Estado de Economía en México y hombre fuerte de Medel. Se trata de un economista doctorado en derecho matrimonial y de familia por Roma, sus contactos con el Vaticano son constantes. Un amigo, periodista del *Corriere della Sera*, nos dio las pistas para entrar en las tripas de la empresa…

—¿Y qué paso? ¿Has podido entrar?

—Sí. Y son muy peligrosos. Los accionistas son gente muy poderosa. Hemos conseguido acceder a algunas de las transferencias económicas que hacen al Vaticano. —Le mostró varias cuentas en el iPad—. Tienen sistemas de seguridad informática muy sólidos. Leire, esta gente no se anda con tonterías. Los herbicidas de Agra contaminaron la tierra de varios países dejando crecer solo las simientes que ellos proporcionaban a los agricultores. Han conseguido el monopolio alterando químicamente las semillas. Los miles de pleitos se han quedado en nada: les sale más a cuenta pagar a los demandantes y continuar con su negocio. Leire, no sé lo que buscas, pero cada vez que alguien ha intentado contar esta historia ha acabado con problemas, y tú puedes tenerlos y gordos.

—¿Qué quieres decir?

—Me dijiste que te habían encargado un reportaje sobre esto en la televisión, y creo que ese reportaje no saldrá.

—¿Por qué?

—Porque Palazzi, el director general de tu tele, y su mujer son accionistas de Simentia, y ahora, con la fusión, lo son de Agra. De hecho creo que la mayoría de las acciones son de su mujer y él es un mero testaferro. Las inversiones de las empresas de semillas en España son obra de tu jefe. Pertenece a la Orden de los Mártires y está casado con la única hija reconocida por Medel, María Torres.

—¡Joder, joder, joder! Esto es muy gordo, Raúl. Pero ¿qué conexión puede haber con los asesinatos?

—¿Asesinatos? —La cara de Viedma era todo un poema.

—Sí, mi investigación va sobre los asesinatos de Lucía Ketana y Pedro Cabañas… Eran hermanos, también hijos de Medel, que los abandonó en un hospicio de México, y el párroco de Alella la trajo hasta… —Leire se quedó pensativa—. Necesito algo más cercano. Quizá la conexión española a través de Palazzi… No sé, las propiedades de aquí… —Leire acabó divagando perdida.

—Tengo la lista de colegios, universidades y propiedades en España —tocó sobre el iPad—, pero no sé de qué te va a servir.

—¿Alguna relacionada con la diócesis de Barcelona?

—No que yo sepa… Bueno, aquí hay una que fue en su día de los Mártires por Cristo, pero según el registro ahora está en manos de una entidad bancaria: la antigua Torre del Gobernador de Alella. ¿Puede tener algo que ver?

—No, no lo sé. Estoy despistada, pero pudiera ser.

—Es una mansión gigante que está actualmente abandonada y medio en ruinas. Un lugar bastante inquietante, por cierto.

Paola salió de su habitación con el vestido nuevo. Leire notó que se había puesto un sujetador que le realzaba el pecho y se había perfumado en exceso.

—¿Qué tal? ¿Cómo me queda?—dijo pizpireta mientras giraba su cuerpo como una bailarina exhibiendo algo más que las piernas.

—Es precioso, te queda estupendo, pero si vas a enseñar tu hermoso trasero no hace falta que te lo pongas —exclamó Leire riendo.

—Envidia de mi cuerpo, eso es lo que tienes. ¿Te gusta? —le preguntó a Raúl.

—Sí, estás muy elegante.

—¡Uy elegante! Pues vaya…

—Quiero decir que te sienta muy bien —trató de arreglarlo el joven periodista.

—A lo mejor con un par de copas de vino, mientras repasamos tu libro, te dejo que lo mires más de cerca.

Paola estaba lanzada y Leire salió al rescate de Raúl, al que notaba cortado y sin capacidad de reacción.

—Bueno, chicos, me tomaré una copa de vino con vosotros y os dejaré solitos con vuestro libro. Tengo que ver a alguien esta noche.

—¿Te vas?—preguntó Raúl, que pareció sentir pánico por quedarse a solas con Paola.

—Tengo que ver a Julián, disculpadme, pero os dejo bien acompañados —dijo Leire guiñando un ojo mientras servía sendas copas de vino—. No me esperéis, pasaré la noche fuera. Portaos bien.

Capítulo treinta y uno

*L*a luz del despacho de monseñor Ibáñez seguía encendida a las nueve de la noche. Esperaba una visita. Despidió al chófer y a su jefe de gabinete hasta el día siguiente; no quería que la vieran.

Comenzó a llover con fuerza y se oía el murmullo del agua discurrir por las canaletas metálicas incrustadas en la fachada de piedra que desaguaban el tejado. Los de mantenimiento debían de haber apagado la calefacción, porque sintió un escalofrío y comenzó a moquear por la nariz. Al poco le sobrevino un ataque de tos convulsa y tuvo que ir al baño para esputar. Tomó el abrigo del perchero y encendió un pequeño calefactor eléctrico que solía utilizar de calientapiés.

Se abrió la puerta del despacho y el guardia de seguridad hizo entrar a Marcos Palazzi.

—Siento presentarme a estas horas, pero es necesario que hablemos.

—Dios nos da las horas para que las empleemos en su bien y la vida eterna para recompensar nuestros buenos actos. Espero que el asunto sea importante y digno de emplearlo en provecho del Señor.

—Creo que hemos cometido un error.

—¿Hemos, amigo Marcos?

—Intenté desviar la investigación de esas muertes y ese policía no solo me detuvo sino que se ha presentado en mi casa. Ha hablado con mi mujer y, lo peor, han entrado en los datos de Simentia y Agra. Por preservar a la Congregación probablemente estamos generando un daño más grave. —Palazzi estaba fuera de sí.

—¿Estamos, Marcos?

—Monseñor, siempre he sido un fiel y disciplinado colaborador de usted y de los Mártires, pero esto se nos escapa de las manos. No podemos seguir así.

—¿No podemos? ¿Se nos escapa? ¿En nombre de quien hablas, hijo? Lo que hayas hecho Dios lo juzgará, no me corresponde a mí, ni puedo asumir decisiones y errores que únicamente tú has tomado y cometido. Yo solo puedo interceder con la oración para que el Señor te perdone.

Monseñor Ibáñez miró al techo con los ojos entornados como si lo que veía fuese el cielo.

—Pero usted me ordenó que apartara a la policía de la investigación y ahora ese inspector sospecha de mí y de mi mujer; cree que hemos ordenado el asesinato de esos hermanos. Dice que eran hijos de Mario Medel, de nuestro fundador…

—Otra vez hablas en plural, hijo. Nuestro fundador ya no es nuestro guía. Solo es el padre de tu mujer. Debes defender a la familia. La familia es lo más importante. Si has cometido un pecado mortal debes arrepentirte por ello. Te escucharé en confesión y espero que el Señor te conceda su misericordia. —Las últimas palabras de monseñor Ibáñez sonaron cansinas e imperceptibles.

—¿Pero qué está diciendo, padre? No hemos hecho nada malo. Usted dijo en la asamblea que sabía quién estaba detrás del asesino de Lucía Ketana, nos dijo que alguien le había avisado de que cometería el crimen y que era de los nuestros.

—Y no me desdigo, hijo. Si quieres confesarte ahora…

—Yo… yo no lo hice, padre. ¿Cómo puede pensar…? ¡Dios santo! No me puedo creer que piense que yo…

—Estás confundido y desorientado, Marcos, creíste que peligraban tu fortuna y el bienestar de tu familia, y, como al padre Medel, se te nubló la mente y utilizaste la mano de un pobre de espíritu para ejecutar el horrible martirio que acabó con la vida de esos hermanos. Eso es lo que pasó y eso es lo que ha descubierto la policía. Ahora solo es cuestión de tiempo, de muy poco tiempo, que encuentren al verdugo al que pagaste por hacerlo.

—¿Por qué me está haciendo esto? Nos conocemos de hace años. Le he salvado de los medios de comunicación hostiles, he hecho el trabajo sucio que necesitaba la Congregación y he manejado sus negocios como si fueran míos. ¿Por qué? ¡Dígamelo!

—Has sido un buen hombre, recto y honesto, hasta que la vida te ha llevado por un camino torcido y de perdición, lo mismo que al padre Medel. Recuerdo que fui yo quien te presentó a tu mujer. —Monseñor seguía evocando el pasado, un pasado que Palazzi solo conocía a medias—. Su padre y yo le sugerimos que veríamos con buenos ojos el matrimonio con el pujante y brillante director de medios de comunicación que eras. No nos costó convencerla: le dimos parte de la fortuna que había administrado su padre y te hicimos a ti testaferro de muchos de nuestros bienes. Una jugada redonda. Tampoco me ha costado convencerla cuando me ha llamado asustada para decirme que la policía había estado en casa y me ha contado sus sospechas.

—¿Convencerla de qué? —Marcos Palazzi estaba desencajado.

—De que debe pedir la nulidad matrimonial. Ya no puede convivir contigo.

—¿Pero qué coño está diciendo? Está usted loco.

—¿Ves, hijo, cómo te exaltas? Entiendo que te ofusques como lo hiciste ante la amenaza que suponían Lucía y Pedro. Tu mujer sabe que le has sido infiel con esa presentadora de televisión y es consciente de lo que puede perder si sigue al lado de un marido adúltero que ha cometido un acto tan deleznable como acabar con la vida de dos personas.

—Es usted un miserable. Esto no va a quedar así. Tienen mucho que perder...

—No creo que sea bueno para tu salvación enfrentarte a los designios del Señor —le interrumpió—. Será mejor que te entregues a la justicia de los hombres y yo me ocuparé de que el Señor haga justicia contigo.

—No me pienso entregar, y ustedes van a saber lo que es bueno. Les voy a aniquilar... Me gustaría saber qué están escondiendo.

—Marcos, tus poderes en la Congregación han sido revocados, tu mujer te repudiará y la justicia te privará de la libertad. No hagas más difícil este cáliz que te ha tocado vivir.

—¡Miserable hijo de puta! Me las vas a pagar.

Se abalanzó sobre el cura y le apretó el cuello con ambas manos. Monseñor Ibáñez estaba aterrorizado. Intentó coger aire, pero su garganta era una cánula angostada por la presión de los dedos de Palazzi. El religioso palpó a tientas el timbre que daba la alarma al vigilante de seguridad. En un instante apareció un guardia fornido que, ante la incapacidad de apartarlo de monseñor Ibáñez, le propinó a Palazzi un fuerte golpe en la cabeza, dejándolo inconsciente.

Monseñor Ibáñez, entre estertores, cayó al suelo con la lentitud con que cae del cielo la pluma de un pájaro. Parecía que sus ojos menudos se habían salido de las órbitas y en la comisura de los labios apareció un hilillo de sangre.

Capítulo treinta y dos

*J*ulián recibió la llamada de Barreta cuando estaba entrando en el pequeño apartamento de El Masnou que su compañero le había facilitado para esconderse. Le dijo que Palazzi estaba en el hospital de Sant Pau, con traumatismo craneal pero fuera de peligro y acusado del intento de homicidio de monseñor Ibáñez. El cura se debatía entre la vida y la muerte en el mismo hospital, con respiración artificial y en coma inducido.

Había hablado con el comisario y este quería verle a toda costa. Barreta se ocuparía de buscar un lugar adecuado para el encuentro sin que fueran vistos y le avisaría.

Julián le daba vueltas a lo que podía haber llevado a Palazzi a actuar contra el secretario del obispo. La teoría de que el directivo de televisión estuviera tras los asesinatos de los dos hermanos cobraba mayor fuerza, pero ¿cuál era la responsabilidad de Ibáñez en este asunto?

Encendió una lámpara de pie y retiró la sábana blanca que protegía del polvo un sillón tapizado en tela. Se sentó en él y sacó del bolsillo la fotografía que había cogido del álbum de la casa de María Torres. La estuvo observando con detalle durante un par de minutos: primero se centró en la imagen de los dos curas. Ibáñez ungía con el crisma del bautismo la frente de un bebé, mientras Dimas Pascual parecía ajeno a la ceremonia y miraba al joven monaguillo que tenía a su lado. El monaguillo centró su atención.

Buscó en el otro bolsillo la fotografía de los hermanos en el hospicio Cabañas. Comparó ambas tapando con los dedos las imágenes para recortarlas y que solo quedara a la vista el joven monaguillo de la foto de María Torres y el joven que estaba apostado en una columna mirando a los hermanos en el hospicio. Y entonces lo vio claro. Ambos eran la misma persona.

A aquel joven probablemente lo había traído Dimas Pascual a España cuando fue en busca de Lucía y su hermano. ¿Qué papel tenía, si es que tenía alguno, en toda esa historia? Debía hablar con el párroco urgentemente. Llamó al hospital y le dijeron que ya había sido dado de alta y que estaba de nuevo en su casa.

Cuando se disponía a salir del apartamento llamó Leire al timbre.

—¿Te marchas? —le dijo al verle con la cazadora puesta y las llaves de la moto en la mano—. Julián, tenía ganas de verte, de hablar contigo…

—Ya habrá tiempo —le acarició la mejilla con suavidad—, ahora tengo que hacer una visita. Es importante, creo que tengo una pista.

—Voy contigo —dijo Leire resuelta a acompañarlo, quisiera él o no.

—Está bien, ¡vamos! Ponte esto, está lloviendo. —Julián se quitó la cazadora y se la puso sobre los hombros.

Apenas tardaron diez minutos en llegar desde El Masnou a la Plaza de la Iglesia de Alella. Eran las diez de la noche y aunque llovía poco, las rachas de viento multiplicaban el efecto del agua sobre ellos. Julián llegó con la camisa empapada a la rectoría.

Había luz en el interior. Leire ni se atrevió a preguntar a Julián qué hacían allí. Se diría que se había contagiado del silencio que reinaba en el pueblo. Llamaron a la puerta y oyeron aproximarse unos pasos. Dimas Pascual les abrió en bata y zapatillas.

—Padre, tenemos que hablar —le dijo Julián antes de que pudiera decir una palabra—. ¿Me recuerda, verdad? Soy el inspector Ortega, le estuve visitando en el hospital. Ella es Leire Castelló, la periodista.

—Pasad, hijos, pasad. Estás completamente mojado. Venid y acercaos a la calefacción. Prepararé un poco de té.

—No es necesario, padre.

—Bueno, como quiera, joven. Le daré una camisa limpia. —Fue a una habitación y le ofreció una camisa de franela a cuadros que no debería ser suya, pues a Julián le iba algo grande de talla.

—Era de Lorenzo, dejó algunas cosas aquí antes de irse, el pobre.

Se sentaron alrededor de una mesa camilla cubierta con un bordado de puntillas que amarilleaba.

—Padre, creo que el otro día no me contó toda la verdad. Pedro Cabañas ha sido asesinado. No habría venido a estas horas si no creyera que usted me puede conducir al asesino de Lucía y Pedro.

—¿Yo?, pobre de mí. No sé cómo puedo ayudarle. Ya le dije que viera a monseñor Ibáñez, el…

—Monseñor Ibáñez está agonizando en el hospital. Marcos Palazzi ha intentado estrangularle, y sí que lo vi, pero no saqué gran cosa en claro.

Leire puso cara de extrañeza, aunque no dijo nada.

—¡Cielo Santo! —Dimas Pascual se santiguó y se sumió en una expresión de dolor—. Dígame qué quiere saber.

—Quiero que me diga quién es el joven que aparece en estas dos fotografías. —Las puso sobre la mesa y las señaló con el índice.

Leire alargó el cuello para verlas; el cura se puso las gafas y se las acercó con ambas manos temblorosas.

—Dios mío, ha pasado tanto tiempo. Me pidió que le sacara del hospicio Cabañas, me dijo que era un buen jardinero y que me ayudaría en la parroquia. Tenía veinte años entonces, era un chico fuerte y sano, buena persona, que había pasado toda su vida en el hospicio y estaba al cuidado del jardín. A veces tenía alguna ausencia, ya sabe… Como si no estuviera del todo entero. Mentalmente, quiero decir. Pero un buen chico.

—¿Solo por eso se lo trajo? ¿No sería que conocía la historia de Lucía y su hermano? ¿Es Lorenzo, verdad? Es el que fue sacristán de la iglesia hasta hace unos años.

—Sí, es él. Lorenzo Cabañas. No sé cómo supo lo del padre Medel, pero era buena persona y cumplió hasta su muerte.

—Creo que Lorenzo no está muerto, padre, y usted lo sabe también. —Julián se acercó al viejo párroco y le miró fijamente a los ojos—. Lorenzo es el jardinero de esta familia, a la que usted conoce bien. —Le arrancó la fotografía de las manos y la mostró en alto.

Leire ponía cara de desconcierto, pero seguía en un discreto silencio expectante.

—No podía seguir aquí. No podía. El demonio lo confundió y no debía estar más tiempo con la pequeña Lucía.

—¿Por qué no podía? ¿Qué le hizo a Lucía?

—El Señor perdone mis pecados. Yo me enteré cuando ya era tarde. El demonio había entrado en él hacía tiempo y yo no lo supe ver.

—Padre, déjese de demonios. ¿Lorenzo abusó de Lucía? El forense dice que tuvo un embarazo por lo menos. No era virgen, padre. Lucía Ketana sufrió abusos sexuales de su sacristán durante mucho tiempo, ¿no es cierto?

Leire estaba alucinada por lo que estaba oyendo de boca de Julián.

—¡Sííí! —Dimas Pascual lanzó un grito desgarrador—. Mi pobre Lucía, era solo una niña. Él la cuidaba, la quería mucho. Yo no le daba importancia a que por las tardes, cuando su madre no estaba en casa, estuviera con ella a solas para ayudarla con los deberes. Un día Lucía, con siete años, le dijo a su madre mientras la bañaba que tenía las manos más frías que Lorenzo. Francisca se preocupó y yo le quité importancia hasta que… —El párroco interrumpió su relato.

—¿Hasta qué? —inquirió Julián en tono imperativo.

—Cuando Lucía tenía dieciséis años su madre me dijo que estaba preocupada porque su hija no tenía la menstruación y sufría mareos. Le dije que sería mejor que la viera un médico, así que la llevamos a un hospital religioso en Sant Pere de Ribes, cerca de Sitges. El médico, un sacerdote que pertenecía a la orden de los Mártires por Cristo, nos dijo que estaba embarazada de siete semanas. Yo no sabía cómo actuar, era solo una niña.

—Y ese médico sacerdote le practicó un aborto.

—Estaba confundido. Hablé con monseñor Ibáñez, pero él se lavó las manos. Dijo que Lucía estaba bajo mi tutela y que mía era toda la responsabilidad de lo que aconteciera. El Señor guio mi entendimiento: Lucía no podía dar a luz a una criatura fruto de un hombre que había sido poseído por el Maligno. Desde entonces llevo una carga insoportable sobre mi conciencia.

—Es usted un miserable —saltó Leire indignada—. ¿Siguió permitiendo que ese cabrón la violara? ¿Por qué no le denunció? Era más cómodo mantener a Lucía oculta y encerrada de por vida en casa de su madre; y ese violador, ¿qué hizo usted con él?

Dimas Pascual no tenía valor para mirar a Leire a la cara. Bajó la vista sobre la mesa camilla y entrelazó los dedos de las manos para responder con un hilo de voz.

—Le recriminé sus actos, le prohibí que fuera a su casa. Pensaba que lo había reconducido, hasta que años más tarde Lucía vino a confesarse. El Señor la tenga en su Gloria y perdone que revele un secreto que he mantenido hasta el día de hoy: los actos impúdicos se repetían continuamente, me contó que se producían en distintos lugares, incluso en la sacristía y en la torre del campanario, cuando iba a primera hora a poner flores en el altar. ¿Lo oyen? Mancilló la casa del Señor. Me confesó que Lorenzo le había pedido que se casara con él. La pobre, en su confusión, dijo que quería ser virgen de por vida, como Santa Lucía y… —Se le hizo un nudo en la garganta.

—Siga —dijo Julián muy serio.

—Me pidió que la ayudara a sobrellevar ese martirio.

—¿Y usted qué coño hizo? —preguntó Leire con lágrimas de rabia en los ojos.

—Expulsé a Lorenzo de la parroquia, le di dinero para que se fuera lejos de aquí. Le conseguí un trabajo para que se pudiese mantener alejado de ella.

—En la finca de Marcos Palazzi y María Torres, en Llavaneraes —dijo Julián.

—Sí, eran unos buenos feligreses y me hicieron el favor.

—Tampoco lo alejó mucho, Llavaneres está cerca de aquí.

—¿Qué quería que hiciese? No había nadie más en quien confiar.

—¿Monseñor Ibáñez estaba al tanto de ello? —preguntó Julián.

—El secretario del arzobispo lo sabe todo. Yo no se lo conté, pero lo sabe todo. Hace muchos años que no le veo. Esta situación me costó que mi diócesis no recibiera dinero del Obispado durante los últimos años. Cuando me empeñé en renovar la sacristía y el campanario de la iglesia de Sant Feliu no me dieron su apoyo. Yo sé que lo hicieron por no mezclarse con este desagradable asunto. Si un día se supiera lo que había pasado en mi propia iglesia, el hecho no debía contaminar al Arzobispado. Llamé al padre Ibáñez cuando murió Francisca, la madre de Lucía, para decirle que su herencia permitiría pagar parte de la restauración del campanario. Solo en ese momento me ayudó económicamente.

—¡Todo esto da un asco horrible! —clamó Leire—. ¡Asco y pena! Es usted un miserable. Están podridos por dentro y por fuera. Era más cómodo cambiar el puñetero campanario, donde violaba a Lucía, que meter a ese animal entre rejas. Siempre es lo mismo: apartarlos para que sigan abusando. Pandilla de pederastas.

—Cálmate. —Julián cogió por el hombro a Leire, que

estaba fuera de sí—. ¿Dónde está ahora Lorenzo?—preguntó.

—No lo sé. Hace varios años que no lo he visto. Creo que María Torres, que lo contrató para cuidar de su finca, le facilitó una vivienda de su propiedad por la zona. Pero le juro que no lo sé.

—Esa feligresa, María Torres, es hija legítima del padre Medel, el fundador de los Mártires por Cristo. Le hice una visita a su casa. Usted debe saber qué propiedades tienen por aquí. Padre, no ponga las cosas más complicadas de lo que están.

—Yo jamás pertenecí a esa congregación y no conozco…

—Espera un momento —dijo Leire, sacando del bolso el listado que le había facilitado Raúl Viedma—. Según mis informaciones, la única propiedad en la zona que hasta hace poco pertenecía a los Mártires es La Torre del Gobernador, y está aquí, en Alella.

Julián revisó las anotaciones.

—Aquí dice que perteneció a la empresa Simentia, de la cual es propietaria Maria Torres.

—Simentia es una empresa de semillas también propiedad de los Mártires por Cristo. Es muy largo de explicar —dijo Leire.

—En cualquier caso es la única pista que tenemos. Eso sí, se han cubierto de gloria: darle cobijo a esa bestia en la mismísima Alella es una auténtica aberración —se lamentó un indignado Julián.

Sonó el teléfono del inspector, era Barreta.

—Parece que tenemos complicaciones. Ha llamado Juan Mejías, el de la productora de la tele. Dice que hace horas que no encuentran a Ágata Blanco. Tenía que haber ido a grabar esta mañana y no ha aparecido, no contesta su móvil ni está en su casa.

—Solo han pasado unas horas, ¿Por qué habrían de preocuparse?

—Porque estuvo en la televisión a primera hora de la

mañana. Un vigilante la vio entrar pero no salir, y ha encontrado su tarjeta de identificación en el jardín de la entrada, bajo una de las palmeras.

—Averigua si hoy estuvo el jardinero en la televisión. Voy a hacer una visita a la Torre del Gobernador de Alella. Creo que deberías venir hacia aquí. Y dile al comisario Rojas que ese es un buen sitio para encontrarnos.

—¿Ese antiguo edificio de las Escuelas Pías? ¿A estas horas? ¿Tú crees? ¿Y qué estamos buscando? —preguntó Barreta.

—Creo que al diablo, ese ser que huele a azufre y que va con una horca y un hacha cometiendo crímenes —lo había dicho en voz alta mirando al párroco, que se tapaba la cara con las manos trémulas. Colgó el teléfono.

—La Torre lleva años deshabitada. El edificio está en ruinas —aclaró Dimas Pascual—, es imposible que alguien viva en él.

—Fue un colegio y más tarde una escuela agraria, pero tiene razón, lleva cerca de quince años cerrada —dijo Leire, que consultó los papeles de Raúl Viedma—. La torre se construyó en el siglo XVI por orden del gobernador de Cataluña y en el XIX la compró un comerciante catalán que edificó la casa… Es inmensa, con jardines, un lago y hasta cuevas. Si no es con luz, durante el día, creo que será imposible dar con él.

—Mañana puede ser tarde. Me da que tiene a Ágata Blanco con él.

Julián comprobó que su pistola Walter semiautomática estaba cargada y se dispuso a salir de la rectoría. Leire le siguió. Dejaron a Dimas Pascual musitando una oración en latín.

Capítulo treinta y tres

*L*as campanas del reloj de la iglesia tocaron los cuatro cuartos y al momento sonaron once campanadas. Había dejado de llover, pero el viento racheaba con fuerza en Alella y pulverizaba el agua que se había acumulado sobre los tejados y los árboles como un sirimiri intenso e intermitente.

Julián aparcó la moto a cien metros de la Torre del Gobernador. No quería dejarla junto a la verja de entrada para impedir que el ruido del motor advirtiera de su presencia. Se volvió hacia Leire y le dijo que la cogiera y que lo esperase en el apartamento de El Masnou.

—No pienso hacerlo, voy contigo y no me vas a convencer de lo contrario —dijo ella con firmeza.

—Ahí arriba —Julián señaló la Torre del Gobernador, que se silueteaba imponente en la oscuridad— hay un tipo muy peligroso, un asesino que ha acabado con dos vidas torturándolas salvajemente y que puede haber matado a una tercera. No quiero que corras ningún riesgo.

—Quiero estar contigo. No voy a dejarte ir solo. Además, quiero verle la cara a ese energúmeno cuando le detengas. ¿Por qué crees que tiene a Ágata?

—Tengo mis sospechas sobre el móvil del homicida. Creo que está actuando para defender los intereses de los Palazzi, o quizá solo de su mujer. A veces las cosas son más sencillas de lo que pensamos.

Andaban a paso ligero y conforme se acercaban a la verja bajaban el tono de la voz inconscientemente. Julián cogió a Leire de la mano y ella se la apretó con fuerza.

—Julián, antes de entrar quiero pedirte perdón, quiero que sepas que dudé de ti. Me sentí fatal cuando te vi en el vídeo con Ágata y se me fue la olla, no sé por qué me comporté así.

—Me gustó cómo actuaste —sonrió Julián—, no me habías hecho el amor nunca de esa forma. ¿Dónde lo aprendiste?

—Eres un tonto, no me avergüences. Me sentí fatal y reaccioné de una manera posesiva. Estaba celosa y dolida.

—Me encanta que seas celosa. ¿Seguro que quieres entrar conmigo?

—Seguro.

—Pues vas a tener que ayudarme. Está a oscuras y no tenemos una linterna. ¿Llevas tu móvil? Este de Barreta es genial, pero no tiene la aplicación de la linterna.

—Sí, pero si conecto la batería nos localizarán los buitres.

—Ya veo que has hablado con Barreta. Conéctalo, si vienen los buitres espero que los cadáveres que picoteen no sean los nuestros —bromeó.

—Oye, Julián, ¿qué crees que ese Lorenzo Cabañas puede haber hecho con Ágata?

—Espero que lleguemos a tiempo, ¿Recuerdas el libro de mi madre sobre los mártires?

—Sí, claro, es horrible, parece un manual que esté siguiendo el asesino.

—El martirio de Santa Ágata. Eso nos puede dar una pista sobre dónde debemos buscar en este gigantesco laberinto de jardines y habitaciones.

—Es la patrona de las mujeres. Una vez estuve en Sicilia en un viaje de fin de curso y visitamos Catania. Decían que allí había nacido Santa Ágata y recuerdo que conservaban sus reliquias en la catedral: la martirizaron arrancándole los pechos con unas tenazas y luego la tendieron sobre un lecho de brasas hasta que murió quemada. Quedé impresionada por la historia. Muchas mujeres que padecen cáncer de pecho encienden velas y ofrecen sus plegarias a la mártir. ¿Crees que eso puede darnos una pista?

—No lo sé, pero vamos a entrar y lo averiguamos. Aunque por el bien de la pobre Ágata espero que no.

Capítulo treinta y cuatro

$\mathcal{U}$n gran arco ojival neogótico sobre el que se levantaban dos torres neoclásicas parecía el lugar más próximo para entrar en la finca del Gobernador, que estaba amurallada en toda su extensión. Sin embargo una valla metálica de hierro dificultaba el acceso.

Leire acercó la linterna del móvil a la barrera de hierro oxidado, mientras Julián intentaba apartarla con cuidado de no cortarse. Sí ahí vivía alguien, desde luego esa no era la entrada que solía utilizar.

El sendero tras la valla era de arena y estaba resbaladizo por la lluvia. A ambos lados, lo que en otro tiempo fue un jardín romántico era ahora una vegetación descuidada de arbustos entreverados que angostaban el camino. Los nubarrones hicieron un hueco en el cielo para que apareciera por unos instantes la luna, que iluminó una gran pajarera y unas esfinges decapitadas, pálidas y fantasmales.

Julián miró al cielo, parecía que el viento acabaría despejando del todo las nubes y la luz de la luna les proporcionaría algo de visión. El silencio que reinaba delataba sus pasos, y así se lo advirtió con un gesto de la mano a Leire.

Oteó el horizonte; para cruzar hasta la casa tenían que sortear un muro de dos metros que discurría paralelo al sendero. Más adelante vio un puente que cruzaba hasta la mansión. Los pilares del puente eran de azulejos y refulgieron a la débil luz de la linterna del móvil. Era arriesgado cruzarlo. La base estaba resquebrajada en varios tramos, así que Julián se adelantó y le indicó a Leire por donde pisar con cierta seguridad.

En el otro extremo del puente había una casa con arabescos en la fachada. Se trataba de unos antiguos baños, completamente destartalados, cuyos únicos vestigios eran una bañera blanca que estaba a la intemperie y los tubos de cobre rotos que conducían el agua.

A pocos metros de la escalera de piedra que ascendía hasta la entrada principal de la casa se toparon con una gran estancia. Parecía un salón de baile. Las paredes estaban desconchadas, las cristaleras rotas y el suelo de mármol agrietado y lleno de cascotes caídos del techo. Sobre la balaustrada vieron varias figuras de perros sentados y vigilantes, y también había maceteros resquebrajados sobre el cemento.

Julián aguzó el oído, pero no oyó nada más que su propia respiración y la de Leire. No creía que hubiese nadie en la casa principal, pero había muchas otras estancias, que seguramente eran las aulas de la antigua escuela.

Se oyó el aullido de un perro que, aunque lejano, le pareció que provenía de la parte trasera de la finca. Le indicó a Leire que apagara la linterna. Julián la cogió de la mano para que no tropezara con los arbustos y las piedras que se habían desprendido de los muros y parterres del jardín.

De pronto algo les sobresaltó. Fue un resplandor, a unos cincuenta metros, como si alguien hubiese prendido fuego en la misma dirección que el ladrido del perro.

Subieron por unas escaleras con la única iluminación que les proporcionaba la luna. La puerta de la casa estaba desencajada y resultó fácil acceder al interior. Se encontraron en una gran sala con columnas de varios metros de altura y en la que había varias puertas. La mayoría de las cristaleras de las ventanas estaban rotas y dejaban pasar el relente.

Elegir que puerta tomar para llegar hasta la parte trasera, desde el interior de la mansión, era una cuestión de suerte.

—Aquella parece abierta —dijo Leire encendiendo de nuevo la linterna del móvil—, vamos por ahí.

En el interior de la sala la humedad era tremenda y a su paso tropezaban con baldosas despegadas o cuarteadas. Leire enfocó la linterna hacia las paredes. Estaban llenas de grafitis. Algunos cuadros descolgados habían sido destrozados y aparecían las pinturas sin sus marcos diseminadas por la habitación.

—¡Qué lástima da todo esto! Han entrado vándalos que lo han saqueado todo… Debió de ser un lugar realmente espectacular —susurró Leire, sobrecogida ante la magnificencia de esas ruinas.

A Julián le pareció que no era el momento de lamentarse de aquella degradación en la que estaba sumida toda la finca, pero no se lo recriminó. Empezaba a pensar que allí no iban a encontrar a nadie y que la excursión nocturna podría acabar de forma accidentada, dado el estado de deterioro del piso y el techo de la vivienda.

Atravesaron la puerta y accedieron a otra sala, más pequeña, en la que había un piano desvencijado y una gran chimenea en cuya boca se habían acumulado cascotes y basura. El brillo de la luna se reflejaba en los cristales rotos y proyectaba hacia el interior una luz blanquecina que dibujaba sus sombras alargadas en las paredes.

Volvió a oírse el aullido del perro, pero ahora Julián no pudo determinar de dónde provenía. Dudaba, incluso, de que el resplandor que le había parecido ver pudiera tratarse de un fuego o de la luz de otra finca.

Pensó en cómo representaría aquel libro de los mártires la estampa de Santa Ágata martirizada. Si Lorenzo Cabañas estaba con ella en la Torre del Gobernador necesitaría sujetarla en alguna parte, quizá colgarla para inmovilizarla y torturarla hasta la muerte. Leire le había dicho que a la santa la tendieron sobre brasas de carbón incandescente. Todo ello no se podía llevar a cabo en aquella parte noble de la mansión.

Recordó el pequeño cobertizo en el jardín de la finca de María Torres donde Lorenzo acumulaba sus herramientas y productos para las plantas, y pensó que debían salir a la parte trasera del jardín y buscar una edificación anexa, quizás un taller donde el jardinero homicida guardara sus útiles de trabajo e hiciera las mezclas químicas, como la lechada de cal viva y azufre cuyos restos habían encontrado en el cadáver de Lucía.

Atravesaron hasta el fondo de la casa y se toparon con una antigua capilla. La cúpula parecía bien conservada y en el suelo había centenares de velas consumidas, seguramente traídas por jóvenes que habían hecho sesiones de espiritismo. En un lateral había una puerta que daba a la parte trasera de la casa y que estaba semiabierta. Les condujo al exterior. Los hierbajos tenían una altura de un metro y se hacía difícil avanzar. Julián vio una nave de dos pisos a unos cincuenta metros y una chimenea metálica cuyo tiro estaba adosado a la fachada.

—Creo que debe de ser la antigua cocina de la escuela —musitó Leire—, fíjate, yo diría que está humeando. Caminaron hacia ella. En efecto, a Julián le pareció que aquella estructura metálica sacaba un humo negruzco. Las rachas de viento le llegaban de frente y le vino el mismo fuerte olor a azufre que había percibido en el cobertizo de María Torres.

La chimenea expulsó chispas rojizas al cielo que se apagaban al instante con el viento.

—Espérame aquí. Voy a entrar.

—¿Aquí? Ni lo sueñes, no me quedo aquí sola ni loca. Voy contigo. Tengo miedo, Julián.

Julián tuvo que reconocer que aquel espacio decadente desgarrado por la dejadez y por el paso del tiempo era realmente imponente.

—Está bien, pero no te separes de mí. —Julián desenfundó su pistola. Leire le seguía agarrándole de la camisa.

Intentaron franquear la puerta, pero estaba cerrada por dentro. Al lado de la salida de humos descubrieron una entrada que bajaba hasta un sótano. La puerta estaba abierta y el olor a azufre era intenso. Julián le pidió la linterna a Leire y bajaron a tientas una decena de peldaños. Se encontraron en un almacén subterráneo. A un lado de la pared se amontonaban sacos de semillas y de abonos para las plantas, en el otro había bidones de hierro que contenían productos tóxicos, a juzgar por el símbolo de la calavera con las tibias cruzadas pintado en ellos. Enfocó los sacos de tela. En ellos se podía ver con letras rojas el anagrama de Simentia. Los bidones eran los que desprendían el desagradable olor sulfuroso. Julián pensó que cuando la Científica tomara muestras de su contenido coincidiría con la sustancia encontrada en los cadáveres de Lucía y de Pedro.

En el techo había un tubo fluorescente. Buscó el interruptor en la pared y lo encendió. A pesar de la escasa potencia de la lámpara, la iluminación les cegó momentáneamente, acostumbrados a la oscuridad desde hacía ya rato.

Debía de ser la única zona de la finca a la que llegaba la electricidad, pensó Julián. En el fondo del almacén había un gran armario con herramientas. Lo abrió. Entre azadas, picos, palas, hachas y un sinfín de aperos agrícolas vio una horca de tres puntas con el palo de madera y los pinchos metálicos. Sin duda era el tridente que había utilizado como arma el asesino para matar a Lucía.

Leire se tapó la boca horrorizada al reparar en que se trataba del arma homicida cuando de pronto sintió el aire caliente de una respiración jadeante a la altura de sus piernas. Volvió la cabeza y a su espalda vio a un doberman negro que gruñía amenazante mostrando sus colmillos con furia. Se quedó paralizada, sin saber qué hacer.

Julián se percató al instante y la apartó con el brazo para ponerse delante de ella, al tiempo que cogía el tridente del armario para encarar al perro, que comenzó a ladrar.

—¡Abre la puerta y entra ahí! —le gritó a Leire seña-
lándole una angosta abertura de madera que debía de conducir a la planta baja.

El doberman hizo ademán de saltar sobre él, pero Julián repelió el ataque con la horca. Aunque el perro calcu-
laba bien la distancia con el tridente y no osaba acercarse
más de la cuenta, no cesaba de acometer.

Julián vio unos sacos de semillas vacíos que estaban
junto al armario de herramientas y cogió uno con la mano
izquierda mientras con la derecha sujetaba el tridente para
mantener a raya al doberman. Retrajo la horca para permitir que el perro se le aproximara y cuando este se abalanzó sobre él, con un gesto rápido le puso el saco sobre la
cabeza como si se tratara de un bozal. El impacto del salto
del doberman hizo trastabillar a Julián, que cayó al suelo
con el perro sobre él, moviendo la cabeza como un poseso
intentando quitarse la capucha. Le propinó una patada y
consiguió apartarlo unos metros. En su afán por zafarse
del saco, el animal introdujo las patas delanteras en él, en-
redándose todavía más entre rabiosos gruñidos, momento
que aprovechó Julián para llegar hasta la puerta donde se
hallaba Leire.

—¿Estás herido? —preguntó ella angustiada.

—No, estoy bien, con este jaleo nos han debido de oír
llegar. Quiero que si me pasa algo salgas corriendo inmediatamente hasta la puerta principal, Barreta llegará en
unos minutos, ¿de acuerdo?

—De acuerdo, pero no nos va a pasar nada, ¿verdad?
—Leire le miró asustada.

—Nada, nada. —La abrazó con fuerza.

Las escaleras conducían a la planta baja, como había
supuesto Julián. Entraron en una habitación oscura y des-
tartalada. La linterna de Leire iluminó varios pupitres y
sillas desvencijadas de lo que debió de ser un aula de la antigua escuela. El cuadro de un cura aparecía garabateado
con espray rojo sobre una de las mesas, la pizarra estaba
descolgada de un costado de la pared. Al fondo, una puerta

de doble hoja dejaba traspasar una luz tenue. Fueron hacia ella tratando de no tropezar con las sillas.

Julián le quitó el seguro a la pistola y apuntó con ella hacia la puerta.

—Hazte a un lado —le ordenó a Leire antes de abrir la puerta de una patada, parapetándose en la jamba.

La puerta daba a un largo y oscuro pasillo. Encañonó la pistola a ambos lados con un movimiento rápido. No había nadie. Lo atravesaron con sigilo y dieron con el comedor de la escuela: más mesas y sillas destrozadas estaban esparcidas por la sala. Atravesaron el espacio en dirección a una puerta de doble hoja por la que se llegaba hasta la cocina. En el interior se oía el fluir del agua a través de una cañería, como si hubiera un grifo abierto.

Le hizo un gesto a Leire para que no hiciera ruido que resultó innecesario, pues ella se había quedado paralizada ante la sospecha de que había alguien en el interior de la cocina.

Julián giró la manija de la puerta y la abrió lentamente. El interior estaba iluminado con cientos de velas que proyectaban en las paredes las sombras de decenas de cachivaches de cocina bien conservados, que estaban colgados por doquier. Era la única dependencia, de las que habían visto en su recorrido por la mansión, que estaba ordenada y casi en perfecto estado de uso.

Leire se quedó en la puerta mientras Julián escrutaba los rincones de la cocina, mirando por encima del cañón de su Walter semiautomática, que sujetaba con ambas manos y con los brazos extendidos. Estuvo a punto de resbalar al pisar el líquido que se había derramado de una sulfatadora de pistola que alguien había dejado abandonada.

El sonido del agua cesó de repente. Parecía que habían cerrado el grifo detrás de la isla de fogones, sobre los cuales había una gran campana extractora que le impedía la visión.

Julián rodeó la isla lentamente. Sintió de nuevo un fuerte olor a azufre antes de contemplar la espeluznante escena: el cuerpo de Ágata Blanco pendía del techo por los pies. Estaba desnuda e inerte, y a su alrededor, en el suelo, casi tocándolas con los brazos desmayados, había una decena de velas en círculo. Fue hacia ella cuando por detrás de la mujer apareció un hombre corpulento que vestía un mono de color rojo. Llevaba la cara cubierta por una máscara metálica negra con visera transparente en los ojos y sostenía en la mano una vela y unas grandes tenazas.

—Policía, apártese de ahí —gritó Julián—, apártese o me obligará a disparar.

—Yo no lo haría, inspector Ortega —dijo el hombre con una voz profunda y ronca, que sonaba distorsionada por la máscara metálica—. Acaba de ser purificada y solo que ponga la luz de mi vela sobre ella arderá en el infierno.

Julián se percató de que el cuerpo de Ágata estaba impregnado de una sustancia líquida y lechosa.

—No lo haga, Lorenzo. Será mejor que se entregue. No cargue con otro asesinato…

—¿Le llama usted asesinato a la purificación por el martirio, inspector? —le interrumpió riendo con ganas. Su risa resonaba cavernosa en las paredes de aquel siniestro lugar—. Está usted equivocado. Ágata se va a reencontrar con la Santa, pero para ello debe purgar sus pecados como lo hizo su antepasada. No debería inmiscuirse usted en los designios del Señor. Sería terrible que muriera envuelta en fuego antes de que siguiera el proceso del ritual. Lo debe usted conocer, ¿verdad, inspector? —Le mostró las tenazas y con ellas señaló uno de los pechos de Ágata Blanco.

Julián analizó la situación. Estaba a tres metros de él, a su derecha había un grifo con un fregadero de piedra y a su izquierda, sobre un lecho de carbón encendido, varias herramientas de hierro al rojo donde habría quemado las tenazas para extirparle con ellas los pechos.

Si avanzaba era posible que con un gesto rápido pusiera la llama de la vela sobre el cuerpo de Ágata y ardiera al instante. Tampoco podía disparar sin riesgo de herirla. Decidió ganar algo de tiempo y aprovechar alguna distracción del hombre.

—¿Por qué quiere martirizarla hasta la muerte? ¿Qué ha hecho ella para merecer semejante tortura?

—¿Tortura? Los mártires no lo sienten como una tortura, Ortega, ellos llegan al cielo reconfortados por el sacrificio extremo ofrecido al Dios todopoderoso. Solo pueden purgar sus pecados y alcanzar la santidad con la entrega de su vida al Señor.

—Está usted loco. Ágata no le ha hecho nada malo ni a usted ni a Dios.

—¡Ah! ¿No?, y usted qué sabe —dijo Lorenzo exaltado—. Usted no sabe nada. Cuando el Maligno ronda, nadie puede transformar la maldad en bondad, salvo el martirio. Se lo dije a ellos, a mis benefactores.

—¿Qué le hizo Ágata al matrimonio Palazzi?

—Empezó por querer contar lo de Simentia… ¡Mentiras!, solo mentiras… Pero chantajeó al señor Palazzi, y este, a cambio de que no hiciera ese maldito reportaje periodístico lleno de falsedades, le proporcionó el trabajo estrella de la televisión. Sin embargo no se conformó, no tuvo suficiente, el demonio había entrado en ella y quiso que rompiera su matrimonio: lo sedujo como una perra en celo atrae a los perros.

—¿Y los hermanos? ¿Lucía y Pedro también merecían la muerte? Durante años estuvo abusando de Lucía. Está enfermo, Lorenzo. Necesita que le vea un psiquiatra. Apártese de Ágata y no le haremos daño. Sabemos que cuanto hizo fue por encargo de los Palazzi, ellos tienen su responsabilidad en todo esto.

—¿Los señores? Yo solo quería que ellos no sufrieran amenazas. La señora es muy buena, no merecía que el Demonio se acercara a ella a través de Pedro.

—¿Y Lucía? ¿Qué había hecho la pobre Lucía?

—A Lucía la quise como a nadie en el mundo. En el hospicio, cuando era una niña, ya la protegía de las maledicencias de algunos y aquí... aquí me enamoré de ella. Yo quería hacerla mi mujer y ella quería entregarse en cuerpo y alma a Dios. Yo la ayudé a llegar hasta él como una santa.

Julián oyó ruido detrás de él. Supuso que era Leire que se acercaba. Lorenzo debió percibirlo también, porque de repente se alteró.

—¡Tire la pistola al suelo y ponga las manos en alto! —gritó nervioso, acercando la llama de la vela al cuerpo de Ágata Blanco, que pareció recobrar la conciencia con un movimiento casi imperceptible de su cabeza.

—Tranquilo, Lorenzo, cálmese —Julián tiró la pistola al suelo y puso las manos sobre la cabeza—. Ya está, estoy desarmado, suéltela.

—¡Empuje la pistola con el pie hacía mí y no baje las manos, o le juro que arderá en el infierno! —amenazó.

Julián le dio un puntapié al arma y acertó a derribar dos de las velas, que estaban dispuestas en círculo alrededor del cuerpo colgante de Ágata y que crepitaron hasta apagarse proyectando sombras cimbreantes sobre la pared. Lorenzo quedó desconcertado mirando al suelo y al alzar la vista, de repente, un chorro de líquido lechoso cayó sobre él.

Leire estaba en un lateral con la pistola de la sulfatadora pulverizando sin parar el producto químico contra el asesino, que dio un paso atrás tambaleante. La llama de una de las velas prendió en su mono por los pies y el fuego corrió como por una mecha en décimas de segundo hasta su cabeza.

Lorenzo era una antorcha humana que se retorcía entre aullidos.

Julián se dio cuenta de que podía contagiar el fuego a Ágata con sus movimientos espasmódicos. De un salto le propinó una patada en el pecho y lo lanzó contra la pared. Lorenzo rebotó en ella y dio varios traspiés hasta caer de bruces sobre el lecho de carbón donde estaban las herramientas incandescentes. Julián se sacó la camisa y se la anudó a ambas manos y brazos para no quemarse y rescatarle de las brasas. Tiró con fuerza de una pierna y consiguió apartarlo del fuego. Leire se quitó la chaqueta y cubrió el cuerpo de Lorenzo con ella para apagar las llamas de su ropa. Le sobrevino una arcada al respirar el fuerte olor a carne quemada y a azufre, pero consiguió sofocarlo.

Julián le quitó la máscara y le tocó el cuello con los dedos. Estaba inconsciente, pero vivo.

—Ayúdame a bajarla —dijo mirando a Ágata, que parecía volver en sí definitivamente.

Leire no decía nada. Estaba como en estado de *shock*, pero siguió las instrucciones de Julián.

—La sujetaré por la cintura y la empujaré hacia arriba, y tú intenta sacar el gancho de la argolla para descolgarla. Coge esa silla. —Le señaló una que estaba junto al fregadero de piedra.

El cuerpo de Ágata era un muñeco que no ofrecía resistencia. Leire sacó el gancho y Julián la cogió con fuerza entre sus brazos. Tosió al dejarla tumbada sobre el suelo. Leire corrió a buscar algo con que cubrirla. Vio un mantel sobre una de las mesas de la cocina y la tapó con él. Verla desnuda y desvalida la llenó de compasión.

—Te pondrás bien, querida, ya ha pasado todo —le dijo abrazándola.

Ágata abrió los ojos y se quedó desconcertada al ver a Leire. Intentó decirle algo, pero no le salían las palabras. Luego miró a Julián y sollozó.

Capítulo treinta y cinco

*L*a Torre del Gobernador estaba rodeada de coches patrulla cuando salieron de allí. Barreta se quedó en el interior registrándola con media docena de policías de la Científica. Los servicios de urgencias médicas se llevaron a Lorenzo Cabañas y a Ágata Blanco. El primero parecía tener quemaduras de segundo y tercer grado que no pondrían en peligro su vida, y en cuanto a la periodista, padecía una leve intoxicación por efecto del azufre y tenía algunas heridas en los tobillos, por donde había sido colgada.

Bajo el arco ojival de la entrada estaba el comisario Rojas y tras él, y junto a dos coches patrulla, un vehículo negro con los cristales tintados sobre cuyo capó se apoyaban dos hombres trajeados. Leire los reconoció como los que les habían seguido cuando iba en el coche con Barreta.

—Tienes un aspecto del demonio —le dijo sonriente el comisario a Julián.

—Sí, ahí dentro está el infierno. —Se tocó la camisa chamuscada por las brasas que había vuelto a ponerse tras rescatar a Lorenzo de ellas.

—Ya me ha contado Barreta. Creo que debo felicitarte. Ha sido un buen final para esta jodida historia.

—Debería felicitarla a ella. —Cogió a Leire por el hombro—. Esta señorita me puso sobre la pista de dónde podría encontrarse el asesino y ella salvó a Ágata cuando yo estaba desarmado. Ya ve, comisario, las mujeres lo saben todo, pueden con todo.

Rojas hizo un gesto de aquiescencia y se llevó la mano al bolsillo para sacar una cajetilla de tabaco. Les ofreció un cigarrillo que ambos rehusaron.

—No, gracias, creo que por esta noche ya hemos respirado suficiente humo —dijo Julián—, debería dejarlo antes de que le pillen.

—Un coche patrulla ha ido a detener a María Torres —informó encendiendo el cigarrillo—. Esta pareja va a acabar entre rejas. Palazzi por intento de asesinato y su mujer por inductora de tres homicidios.

—Será difícil, comisario, será difícil.

—¿Por qué? Está clara su participación. El secretario del Obispo se recuperará, pero le fue de nada que muriera estrangulado, y ella...

—A ella no la va a implicar el asesino material. Este Lorenzo se sacrificará por ella, eso creo. Es un mártir —dijo Julián.

—Sí, lo es. Estuvo a punto de morir como San Lorenzo, quemado en una parrilla... Pienso que hasta le hubiese gustado —terció Leire.

—Acabará confesando —dijo Rojas.

—¿A quién? ¿A un cura? —preguntó con cierta sorna Julián.

No le dio tiempo a responder, los individuos que estaban apoyados en el coche se acercaron hasta ellos.

—Inspector Ortega, soy el agente Bartolomé, del departamento de Asuntos Internos. Quisiéramos hacerle unas preguntas.

—¡Creo que no es el momento! —dijo con rudeza el comisario Rojas—. ¿Por qué no se van a su puñetera pocilga a descansar y buscan la mierda ahí?

—Oiga, comisario, nosotros tenemos que hacer nuestro trabajo —replicó el agente.

—El trabajo que había que hacer ya está hecho. ¿No le parece?

—Hay una acusación de violación por parte de la víctima y nosotros debemos aclarar las cosas.

—Les he dicho que se vayan. Esa acusación es falsa. Tendrán un puñetero informe mañana sobre su mesa. Yo mismo lo firmaré.

—Queda bajo su responsabilidad, comisario. Si la acusación es falsa, la víctima que le denunció debe desdecirse y caerá sobre ella la responsabilidad de...

—Buenas noches, agentes —les interrumpió Rojas expeditivo.

Los de Asuntos Internos se metieron en el coche y arrancaron a toda velocidad haciendo derrapar las ruedas sobre el asfalto como si con ello quisieran mostrar su cabreo.

—Gracias, comisario.

—Son unos gilipollas. Idos a descansar. Mañana ya hablaremos... ¡Ah! Y deberías cambiarte esa camisa chamuscada.

Sonaron doce campanadas en la iglesia de Sant Feliu.

—No sé si a ti también, pero a mí me ha entrado hambre. Quizás aún esté abierta la cocina del 1789 —sugirió Leire cogiendo de la mano a Julián y pegándose a su cuerpo.

—Hecho. Vamos.

Capítulo treinta y seis

$\mathcal{A}$l día siguiente, Leire no dio las noticias del informativo de las nueve de la mañana. Despertó de madrugada a su jefe, Arturo Ruiz, y le dijo que no estaba en condiciones de aparecer en pantalla, pero que quería verle al mediodía.

—¿Y me lo dices a estas horas? Te estás jugando el puesto.

—Dile a Checa si me puede sustituir… Y no te preocupes por mi puesto, vamos a dar la campanada.

—Tú estás pirada, tía. Palazzi se pondrá de mala leche, lo sabes.

—Palazzi va a tragar mala leche durante muchos años. Está en el hospital y de ahí se va directo a la cárcel.

—¿Qué estás diciendo?

Leire le contó los últimos acontecimientos y Arturo Ruiz se quedó sin palabras al otro lado del teléfono.

—Te veo a las doce. —Leire colgó.

Cuando Leire llegó a la habitación 501 del hospital de Can Ruti, Ágata Blanco estaba desayunando.

—¿Cómo te encuentras?

—Estoy bien, Leire, estoy bien. Algo magullada pero bien. Quiero darte las gracias por lo de anoche, no sé bien qué pasó, pero tengo la sensación de que tú y tu policía me salvasteis la vida.

—Te he traído unas flores. Las dejaré aquí encima. —Las depositó en el lavamanos del baño.

—No tenías que haberte molestado. Te debo mis disculpas. Estoy en deuda contigo.

—Bueno, en cierta manera sí, pero puedes saldarla fácilmente.

—Dime qué quieres —dijo extrañada Ágata Blanco.

—Mira, lo de tu vídeo con Julián… Sé que todo fue un montaje. Lo supe después, pero sufrí por ello. Y que le denunciaras no estuvo bien precisamente.

—Es verdad, retiraré esa denuncia. Marcos me obligó a ello. Se acabó tanta farsa, *Esta es tu vida* ya no contará conmigo. Si he de pagar con mi prestigio profesional lo haré, siento que he vuelto a nacer y haré lo que me digas.

—No creo que acabes con tu prestigio de buena periodista, al contrario, ambas nos podemos ayudar.

—No sé lo que quieres decir. He puesto una falsa denuncia contra tu novio y tendré que afrontar la situación.

—Julián te perdonará. Yo ya lo he hecho. Me sentí fatal cuando vi el vídeo, pero ya está olvidado.

—¿Le quieres mucho, verdad?

—Le quiero, sí, aunque se deja querer poco. Los hombres como Julián son algo complejos.

—¿Complejos? Es la primera vez que oigo decir a alguien que un hombre es complejo. —Ágata sonrió—. Había oído que eran simples, previsibles y hasta estúpidos, pero si estás con uno difícil de entender no lo dejes escapar, tienes mucha suerte. —Ahora rio con ganas.

—Bien, quiero proponerte algo.

—Adelante, soy toda oídos.

—Lorenzo Cabañas dijo que habías preparado un reportaje sobre la empresa mexicana de semillas, Simentia, la que se fusionó con Agra, y que algunos de sus propietarios pertenecen a la congregación de los Mártires por Cristo.

—¿El agente naranja? Eso, querida mía, tiene mucho peligro. Nadie lo emitiría, y si lo hicieran caería algo más que el cierre sobre la cadena que lo diera. Olvídalo.

—Me has dicho que harías lo que te dijera.

—No me pidas eso. Hay que documentarlo hasta la saciedad para emitirlo. No pude entrar a fondo, no me dejaron. Yo... Bien, cuando era bastante más joven e idealista quise dedicarme por entero a esa y a otras investigaciones, dar a conocer al mundo la realidad de algunas corporaciones y las actividades como mínimo discutibles y en muchos casos inmorales de empresas como Simentia. Pero me jugué el cuello, querida. Me amenazaron, y me asusté muchísimo. Soy periodista, no heroína... Y mucho menos mártir, desde luego. Entonces decidí jugar mis cartas profesionales desde el lado frívolo... Son muy peligrosos, no sabes cuanta gente ha muerto.

La opinión de Leire con respecto a la verdadera personalidad de Ágata Blanco iba cambiando a mejor a cada momento. Y esa Ágata que intuía tras la fachada de bótox y glamur le gustaba, y mucho.

—¿Qué es el agente naranja? Yo puedo ayudarte en la investigación. —La joven periodista se estaba entusiasmando con las heridas de guerra de Ágata.

—Es un herbicida, una especie de pesticida que usaron los americanos en Vietnam y que arrasaba con todos los cultivos. Agra lo utilizó para acabar con las cosechas de los campesinos en muchos países, luego les vendían sus semillas resistentes a esos productos químicos y se convertían en suministradores monopolísticos. Una mierda que tuvo efectos sobre la alimentación de miles de personas que murieron y sobre los cientos de niños que nacieron con malformaciones. Se abrieron decenas de juicios por ello y nadie se atrevió a condenarles.

—Pero tú ibas a denunciarlo.

—Sí, iba a denunciarlo. Creía que el periodismo era eso: contar la verdad pese a quien pese, cuanto más duela, más necesario es saberla. Pero ya no me la juego. La congregación religiosa tiene su parte en eso, aunque si ni siquiera es capaz de denunciar a sus propios pederastas y actúa escondiéndolos de la justicia, cómo va a tirarse piedras contra su propio negocio. Mira, el periodismo está bien para hacer la guerrilla a los poderosos, pero no sirve para ganarles la guerra. Y en este caso si no ganas estás muerta.

—Yo no lo veo así. De alguna manera han estado a punto de matarte por ello. La gente tiene que saber lo que están haciendo, porque afecta a sus vidas. Todavía creo que el hecho de denunciarlos puede acabar con sus prácticas.

—Eres muy joven, Leire. Te aseguro que ninguno de los reportajes que hice hace quince o veinte años sirvió para algo más que para ganar un premio periodístico concedido por los colegas más progresistas. Incluso una vez la Conferencia Episcopal me otorgó uno: había hecho un documental sobre la explotación infantil en las minas de diamantes en Sudáfrica y fue el primer premio Bravo de derechos de la infancia. El premio consistía en un viaje a Roma. Cuando visité el Vaticano y vi todos aquellos tesoros de la Iglesia me dieron ganas de vomitar. A la mierda con el periodismo. No me arrepiento de hacer lo que estoy haciendo: a la gente le va que la engañes con un *show*, que para empezar le llaman *reality*, en el que todo es mentira.

—Está bien. Si no quieres colaborar por lo menos podrías facilitarme el reportaje para no empezar desde cero.

—Ya veo que eres tan tozuda como yo lo era a tu edad.

—Tengo un equipo de gente muy buena que me puede ayudar a completar la investigación… Y a lo mejor tienes razón: las personas no quieren problemas ni complicarse la vida, pero les podemos dar la amarga medicina envuelta en un dulce.

—No sé a lo que te refieres, pero está bien, cuenta con ello… Aunque hago constar que te lo he advertido.

—¿Cuándo sales de aquí?

—Voy a pedir el alta esta misma tarde, me encuentro bien.

—¿Nos vemos en cuanto estés en casa?

—Te enviaré esta noche el reportaje que hicimos. Aún está a medio montar, pero te servirá. Prométeme de todas formas que te lo pensarás antes de lanzarte al abismo.

—Te lo prometo.

Capítulo treinta y siete

A María Torres el juez la dejó libre y sin cargos el mismo día en que la detuvieron, pues tras el interrogatorio no vio relación causal con los asesinatos de Lorenzo Cabañas. Además, este se había inculpado en solitario y no acusó a los Palazzi.

Ágata Blanco confesó que el director general la había obligado a tenderle una trampa sexual a Julián Ortega para apartarle del caso y retiró la denuncia por intento de violación contra él.

Leire convenció al jefe de informativos, Arturo Ruiz, y al de programas, Víctor Comella, que estaban a cargo de la cadena en ausencia forzada de Palazzi, que había ingresado en prisión, de que emitieran a la semana siguiente, el último capítulo del *show* de *Esta es tu vida* con un formato especial.

En ello tuvo algo que ver también Julián, que, a cambio, prometió hacer la vista gorda sobre la manipulación del vídeo y de las redes sociales. Se lo debía a Leire.

Ágata Blanco iniciaría el programa haciendo un repaso de la resolución de los crímenes. Los de producción, a las órdenes de Comella, habían preparado una ficción perfecta con la reconstrucción de los escenarios y habían entrado a rodar en la Torre del Gobernador por la noche con cámaras nocturnas. Todo con la intención de concentrar la atención del máximo de espectadores. No querían que se levantaran del sofá ni para beber agua, y para ello pactaron con los anunciantes que solo habría bloques publicitarios al inicio y al final del programa.

Durante los días anteriores al programa se emitieron spots publicitarios anunciando que se iban a desvelar realidades muy duras, pero que necesariamente tenían que ser conocidas por la audiencia. Los informativos citaban mañana y noche lo que iba a ser un programa jamás emitido por una televisión en el mundo. Los periódicos secundaron con sus informaciones la publicidad que hacía la cadena y especulaban sobre el alcance de las exclusivas informaciones que iba a ofrecer ADN TV.

Durante toda la semana, Leire estuvo trabajando hasta la madrugada con Raúl Viedma y su equipo. Consiguieron destripar las cuentas pormenorizadas de Simentia y Agra, los envíos de dinero al Vaticano, las cuentas en Suiza de María Torres, que la implicaban en un delito fiscal y de falsificación de documentos. Raúl consiguió también recopilar más de cincuenta denuncias de pederastia interpuestas contra los Mártires por Cristo en diferentes juzgados de medio mundo; la red de contactos de Viedma se iba multiplicando y reproduciendo de uno a otro país, generando cientos de datos que este procesaba con su equipo.

Siguieron la información que contenía los blogs de Pedro Cabañas y armaron un buen reportaje con testimonios de muchos campesinos que se sentían estafados con las semillas estériles de un solo uso.

Todo ello constituiría la segunda parte del programa, que iría a cargo de Leire. Esta comentaría también el reportaje sobre el agente naranja que la empresa Agra, que absorbía a Simentia, vinculada a los Mártires por Cristo, había expandido por medio planeta. Decenas de testimonios de agricultores mostraban sobre el terreno la tierra infectada por los herbicidas, especialistas en ciencias químicas corroboraban la devastación, expertos abogados explicaban la situación de las centenares de demandas contra

Agra y, lo más duro, niños y adultos enfermos y con deformaciones por consumir alimentos contaminados aparecían como testigos en crudas imágenes.

Un laboratorio suizo analizó las muestras de las semillas de Simentia como las únicas capaces de resistir al agente naranja.

En definitiva, un programa anunciado como telerrealidad que iba a convulsionar a todo el país.

Faltaban dos horas para la emisión de *Esta es tu vida* en su formato especial cuando Arturo Ruiz recibió una llamada del ministro del Interior.

El director de informativos mandó convocar en la sala de juntas de Palazzi a Víctor Comella, Leire Castelló y Ágata Blanco.

—Si emitimos el programa nos cortan la señal —dijo con gravedad.

—Eso no lo pueden hacer, ¡es censura! —se indignó Leire.

—Sea como sea, en media hora llegará la orden judicial... y aunque no llegue nos cortan igual. En cualquier caso no podemos salir al aire —dijo Ruiz.

—¡Mierda! ¿Qué podemos hacer? —preguntó una alterada Leire.

—No podemos arriesgarnos a salir con la pantalla en negro. Van muy en serio —repuso Arturo Ruiz—. ¡Ah! Y me ha dicho que ni se nos ocurra pensar en sacar el programa a través de una página web... También nos van a bloquear la opción Internet.

—Podemos poner una peli —dijo Comella con frivolidad, y todos le miraron con cara de pocos amigos.

—Eres un gilipollas —escupió Ágata.

—¿Cómo saben lo que vamos a dar? ¿Eso no es censura previa? —insistió Leire.

—Lo saben y basta. El ministro del Interior me ha dado detalles. Para estas cosas son unos linces, supongo que nos han espiado a lo largo de la semana y hasta que no lo han visto medio montado no se han caído del guindo.

—¿Pero qué razón esgrime el ministro? No lo puedo entender, todo lo que contamos está documentado, creo que te quieren acobardar. Si no hay una orden judicial que le den por saco al ministro. —Leire estaba muy enfadada.

—España tiene el ochenta por ciento de los cultivos transgénicos de la Unión Europea, y más de la mitad son de Simentia. Supongo que no interesa que se sepa. Lo estábamos poniendo todo patas arriba… Hay demasiados intereses de gente muy poderosa. Han esgrimido la ley de secretos oficiales para pararnos —dijo Arturo Ruiz con cara de resignación.

Se oyó ulular una sirena y en la sala de juntas se reflectaron las luces azuladas de un coche patrulla.

—Ahí viene la orden —anunció Ruiz acercándose a la ventana.

—Pero responde a Leire, ¿qué te dijo el ministro?—preguntó Ágata.

—Algo así como que estamos lesionando derechos fundamentales por encima de la Constitución. Creo que la Iglesia ha presionado muy fuerte.

—¡A la mierda con los derechos fundamentales!, ¿y el derecho a la información qué es? ¿Uno que se pasan por el forro de los cojones? —casi gritó Ágata, que parecía recuperar por momentos a la periodista comprometida que había sido tantos años atrás—. ¿Esto es lo que llaman democracia?

—¿Ponemos una película? Lo digo porque no me gustaría improvisar la información unos minutos antes. Además, debemos dar una excusa a la audiencia —dijo Comella.

—Sí, pon la de Santa Teresa de Jesús… O mejor la del Milagro de Fátima. Yo me voy —replicó Leire con cara de hastío.

—Nos vamos todos. Es muy tarde y no vale la pena que nos hierva más la sangre. Arréglalo como tú quieras —dijo Arturo Ruiz mirando a Víctor Comella.

Capítulo treinta y ocho

*E*ra domingo y habían transcurrido casi dos semanas desde la detención del asesino de Lucía y Pedro. Dimas Pascual se vistió con el alba blanca de lino y Carlos, el sacristán, le ató a la cintura el cíngulo y le puso sobre los hombros la estola verde con la cruz dorada.

El día había amanecido soleado en Alella y poco antes de las doce, cuando el párroco salió de la rectoría para recibir al Arzobispo a la entrada de la iglesia de Sant Feliu, ya había una multitud concentrada en la Plaza del Ayuntamiento.

Monseñor Carlos Ramos bajó del coche asistido por un guardaespaldas y, por la otra puerta, el chófer ayudaba a salir con dificultad a su secretario, monseñor Ibáñez, que renqueaba al caminar apoyado en un bastón.

Dimas Pascual se arrodilló ante el Arzobispo y besó su anillo. La casulla plateada refulgió ante sus ojos con la luz del sol.

—Bienvenido, Eminentísimo Señor, a vuestra humilde parroquia.

—Gracias, Dimas, Yo le bendigo y el Señor le agradece el esfuerzo que ha hecho en la parroquia. Ayude al padre Ibáñez y entremos en la Iglesia, me gustaría orar antes de la ceremonia.

El párroco inclinó la cabeza en señal de obediencia y cogió del brazo al secretario, al que le hizo una escueta reverencia. El Arzobispo se adelantó con el guardaespaldas.

—Al fin consiguió sus campanas, padre Dimas. A constancia no le gana nadie, ¿verdad? Aunque sus primeros tañidos hayan tenido que tocar a difunto —comentó con voz trémula el secretario Ibáñez.

—Hemos acabado con el mal, hoy sonarán a gloria —replicó Dimas Pascual.

—Eso espero, padre, eso espero. Una campana no vale una vida, ni siquiera un tañido grave puede reemplazar lo que ha creado el Señor, ¿no cree?

—Es así, pero ahora toca olvidar.

—La gente no olvida, padre Dimas. La gente no perdona nuestros errores, solo Dios puede, con su infinita generosidad, concedernos indulgencia.

—Nos tiene a nosotros para interceder en su voluntad con los hombres y pedir que sea misericordioso con ellos y con nosotros.

—Sí, y es su voluntad la que interpreto cuando le pido que mañana, al alba, deje la parroquia y se traslade a su nuevo destino. Dios quiere que lo haga en silencio, sin despedidas. Hoy será su última ceremonia en la diócesis de Alella.

—Pero... ¿qué está diciendo? No le entiendo, padre, ¿debo irme? ¿Por qué?

—Por Lucía, por Pedro, por todos los santos mártires. Dimas, está enfermo y le curaremos, pero debemos apartarle de la Iglesia por un tiempo.

—¿Ha confesado Lorenzo?

—No, y no sé si lo hará, pero no podemos arriesgarnos cuando estamos ante la lupa de la gente.

—No sé qué me pasó. El Demonio me confundió con esa chiquilla, mi pequeña, Ketana. Eras tan tierna, tan pura... ¿Qué te he hecho, Dios mío?

—El arrepentimiento es necesario para la curación y para el perdón divino, pero no es suficiente para la justicia de los hombres, Dimas. Debe irse antes de que caiga sobre usted la denuncia de sus pecados. Le esconderemos en un lugar en el que curamos a los hermanos que han sufrido desviaciones como las suyas.

—Es demasiado castigo apartarme de esta diócesis por la que he dado media vida. Le dije a la policía que fue Lorenzo el que mancilló la virginidad de Lucía. Fue una mentira útil y convincente, al fin y al cabo él la mató, y no yo. Usted lo sabe.

—Hay cosas que son peores que faltar al quinto mandamiento. Los hombres se matan en las guerras y no pagan por ello ante la justicia, sin embargo no aceptan la pederastia y el abuso carnal… Y menos en nuestro caso. Los curas estamos en el punto de mira. Mañana le recogerá mi coche y vendrá un sustituto a la parroquia. No podemos exponernos. Dios lo quiere así.

Entraron en la iglesia y se arrodillaron en las primeras filas de los bancos. El Obispo estaba rezando en el altar. Se oyeron las doce campanadas del reloj. Afuera, en la Plaza del Ayuntamiento, les esperaban las autoridades civiles, con el presidente del gobierno catalán a la cabeza, y más de mil personas que se habían convocado en torno a la ceremonia de inauguración de las nuevas campanas.

Los presentes prorrumpieron en aplausos cuando aparecieron, en medio de un cordón policial, el Obispo, su secretario y el párroco, entre un estruendo musical producido por el nuevo tañido de las campanas, que sonaban escandalosas en lo alto del campanario de Sant Feliu.

Capítulo treinta y nueve

Julián y Leire se hicieron un hueco en el Xampanyet, que estaba atestado de gente. Juan Carlos, el dueño, les proporcionó una mesa al fondo de la bodega, junto a la cocina. Pidieron unas anchoas y dos cervezas.

—No puedo evitar que me dé rabia todo esto. No entiendo cómo estamos en estos niveles de falta de libertad. Prohíben una información que debería conocer todo el mundo y ellos, hoy, todos juntos, unidos en el espectáculo de las malditas campanas... ¿Sabes que lo están dando en directo por la tele? Han enviado a mi compañero, Toni Checa, para cubrirlo.

—Deberías tranquilizarte, todo es cuestión de tiempo. La verdad no pude ocultarse para siempre, la realidad se acaba sabiendo, de una u otra forma.

—Pero, ¡jolín!, qué difícil es sacarla a flote. Lo teníamos todo comprobado, y ahora será imposible. María Torres se ha puesto al frente del consejo de administración de la cadena y tenemos los días contados. El capullo de Comella va de director general y a Ruiz le quedan dos telediarios, los mismos que me quedan a mí. El martes me han citado los de Recursos Humanos, van a hacer una escabechina impresionante, o eso se dice.

—¿Qué vas a hacer?

—No lo sé todavía. A Ágata le han pagado todo su contrato y con eso ya puede retirarse, pero a mí me toca una miseria. Hay una posibilidad, aunque... tendría que irme de aquí. —Leire se entristeció.

—¿A dónde?

—A Madrid. Los de *eldiario.es* me han hecho una oferta. No es mucho dinero, pero están dispuestos a publicar la información de Simentia y quieren que me incorpore a su equipo de periodistas de investigación.

—Si impidieron la emisión en la tele y os bloquearon la señal de Internet, ¿por qué no van a prohibir igualmente la publicación en ese diario digital?

—Porque lo haríamos de otra manera. Nadie lo sabría. Cometimos el error de darle excesiva publicidad al programa para convocar el máximo de audiencia y nos taparon la boca.

—¿No hay otra alternativa?

—Bueno, aquí podría hacer alguna columna de sucesos para *La Nación* y quizás alguna colaboración en la radio. Nada importante... ¿A ti qué te parece?

—Bueno, no sé qué aconsejarte. Yo creo que debes valorar tu futuro profesional, y si en Madrid hay más oportunidades ahora mismo...

—Sí, es lo que pienso —bajó la cabeza y giró pensativa la yema del índice sobre la comisura del vaso de cerveza—, además, parece que lo de Paola y Raúl va en serio, pueden compartir el piso y eso —se detuvo y le miró a los ojos— ...¿A ti no te importa que me vaya, verdad? —Lo miró arrobada, pero con una firme determinación en sus ojos.

—No es eso, me importa, y mucho, pero creo que tu trabajo está por encima de muchas cosas. Después de todo, no es ninguna distancia del otro mundo, Madrid está a dos horas y media de tren y a una hora de avión.

—Claro. No hay distancia. De hecho no hay más distancia que la que tenemos ahora entre nosotros, ¿no es así?

—Esa distancia, Leire, la estamos salvando cada día un poco más, o al menos yo eso intento. —La cogió de la mano y la miró entre pícaro y provocador—. Además, noches como la del hotel de Alella hacen que salvar esa distancia sea algo muy pero que muy apasionante...

Las campanadas de Santa María del Mar ahogaron la fingida indignación de ella.

Nota del autor

Al escribir *Esta es tu vida* me he inspirado en algunos hechos reales como los que acontecieron en la congregación de la Legión de Cristo fundada por el sacerdote pederasta Marcial Maciel. También me he basado en la información publicada sobre las empresas de semillas, Seminis y Monsanto. Los nombres, lugares y hechos están desvirtuados y/o inventados en esta novela.

También me he permitido la licencia de modificar la estructura de algunos emplazamientos del pueblo de Alella, como la iglesia de Sant Feliu o la Torre del Gobernador, para adecuarlos a la ficción. La visita a la Iglesia y el descubrimiento, por mi parte, de una prisión en su buhardilla o el inicio de la escalera del campanario proyectado por Gaudí, pueden visitarse y recomiendo que lo hagan. La Torre del Gobernador está en un estado lamentable de conservación y ya no es accesible. Seguramente, en breve será vendida a alguna inmobiliaria.

El Hospicio Cabañas, en la actualidad nombrado como Instituto Cultural Cabañas, fue declarado en 1987 Patrimonio de la Humanidad por la UNESCO y se puede visitar en Guadalajara, México. Hasta 1980 albergó a miles de niños huérfanos y abandonados.

Agradecimientos

*Q*uiero agradecer a Rubén Rodríguez Corona, guía oficial del Hospicio Cabañas, sus magníficas explicaciones durante la visita que hice en noviembre de 2013 a esa institución en Guadalajara (México). Recomiendo a los que tengan oportunidad de visitarlo que busquen a Rubén; nadie como él les contará la historia del antiguo hospicio y les hará fijarse en los inquietantes detalles de los frescos del pintor José Clemente Orozco.

A Mercè Marzo, vecina y concejal de Alella, que me presentó a Júlia Servera y a Josep Maria Borrell, que fueron de inestimable ayuda para la localización de algunos lugares donde transcurre esta novela.

A Júlia Servera Gumbau, vecina de Alella y estudiante de arqueología, que me ayudó a reconstruir la historia de la Torre del Gobernador, antiguas Escuelas Pías. Júlia intentó en vano que la mansión no sufriera la tremenda degradación en la que hoy en día se encuentra, tras varios actos de vandalismo y expoliación. Es una lástima que no se hayan tomado medidas para preservar este histórico edificio.

A María Lluisa Martínez Gistau, que me facilitó la entrada en La Torre del Gobernador para visitar sus dependencias.

A Josep Maria Borrell que me acompañó al campanario de Alella y me mostró los secretos bien conservados, gracias a su dedicación y a la de sus amigos, de la iglesia de Sant Feliu.

A Anna Checa que me dio las pistas para conocer el mundo de las redes sociales de contactos.

A Carmen Aristegui, periodista mexicana que publicó el libro *Marcial Maciel: Historia de un criminal* en el que está basada esta novela. Conocí a Carmen en el Congreso de Prensa Digital de Huesca y charlamos sobre lo duro que le resultó hacer una entrevista radiofónica a la mujer e hijos del pederasta fundador de la Legión de Cristo. Carmen es el ejemplo del periodismo comprometido, de denuncia, pero sin sensacionalismos. Aún se me hace un nudo en la garganta cuando veo en YouTube la entrevista grabada.

A todos ellos les agradezco su información y explicaciones. Les pido clemencia por utilizarlas con la deformación, parcialidad y adaptación a la ficción que requiere una novela.

Gracias también a mi mujer Blanca Rosa por ser mi lectora más crítica y a Rosa María Prats por sus buenos consejos en la edición de este libro.

© Pau Sanclemente

José Sanclemente

Nació en Barcelona y es economista y experto en medios de comunicación. Ha sido consejero delegado de Grupo Zeta y consejero de Antena 3 TV, presidente de la Asociación de Editores de Diarios Españoles, promotor y fundador del diario *ADN* y consejero de la Casa Editorial El Tiempo de Bogotá. También es presidente de *eldiario.es* y socio fundador de la revista *Alternativas económicas*. En la actualidad se dedica a la asesoría de empresas periodísticas. Vive en Alella (Barcelona). *Tienes que contarlo* fue su primera novela; en ella presentaba a los dos personajes que también protagonizan *No es lo que parece* y *Esta es tu vida*: el inspector Julián Ortega y la joven periodista Leire Castelló.

@josesanclemente
josesanclemente.com